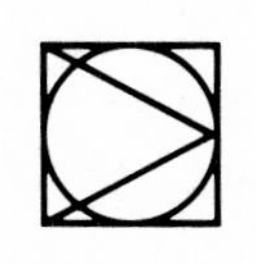

Vermeer
et son temps

CUISINER MIEUX

L'ENCYCLOPÉDIE TIME-LIFE DU JARDINAGE

LE COMPORTEMENT HUMAIN

LES GRANDES CITÉS

MAGIE DES TRAVAUX D'AIGUILLE

LE FAR WEST

LES GRANDES ÉTENDUES SAUVAGES

LES ORIGINES DE L'HOMME

LIFE LA PHOTOGRAPHIE

TIME-LIFE LA CUISINE A TRAVERS LE MONDE

TIME-LIFE LE MONDE DES ARTS

LES GRANDES ÉPOQUES DE L'HOMME

LIFE LE MONDE DES SCIENCES

LIFE LE MONDE VIVANT

COLLECTION JEUNESSE

TIME-LIFE LE MONDE DES ARTS

Vermeer et son temps 1632-1675

par Hans Koningsberger
et
les Rédacteurs des Éditions TIME-LIFE

TIME-LIFE International (Nederland) B.V.

L'auteur :

Hans Koning (pseudonyme du romancier, hollandais de naissance, Hans Koningsberger) vit et travaille aux États-Unis depuis 1951. Il s'est passionné de longue date pour Vermeer. Sa connaissance approfondie de la peinture, jointe à ses facilités d'accès aux sources hollandaises, le qualifiait tout particulièrement pour préparer un tel ouvrage. H. Koning a publié trois romans, traduit plusieurs livres d'art et donné de nombreux articles à des périodiques américains. Son livre *Love and Hate in China* est un important témoignage oculaire sur la vie derrière le « rideau de bambou ».

Le conseiller de rédaction :

H.-W. Janson est titulaire d'une chaire des Beaux-Arts à l'université de New York. Parmi les nombreux ouvrages dont il est l'auteur, il faut citer une *Histoire de l'art* et *la Sculpture de Donatello*.

Le conseiller pour cet ouvrage :

Charles Seymour Jr., professeur d'histoire de l'art à l'université Yale et conservateur du département de la Renaissance au musée d'art de l'université Yale, a apporté un concours inestimable à la préparation de cet ouvrage. Le professeur Seymour est notamment connu comme l'auteur d'un article qui a fait sensation en 1964 sous le titre « Chambre noire et chambres claires : Vermeer et la *Camera obscura* » (1964).

Couverture :

Un détail de la *Femme en bleu lisant une lettre* est une parfaite démonstration de la délicatesse des coloris utilisés par Vermeer. La peinture est reproduite entièrement page 160.

Pages de garde :

Pages de tête : Barque à l'amarrage, dessin d'Anthonie van Borssom.
Pages finales : Amsterdam vue du nord, dessin de Lambert Droomer.

Note des rédacteurs :

Vermeer n'a daté que deux de ses toiles et les historiens ne s'accordent pas sur la chronologie de son œuvre. Aussi, la plupart de ses tableaux reproduits ci-après ne sont-ils accompagnés d'aucune mention de date ; il en va de même des œuvres d'autres artistes qui ne peuvent être datées avec certitude. Vermeer n'ayant d'autre part donné de titre à aucun de ses tableaux, les rédacteurs du présent ouvrage ont repris les titres les plus couramment employés par les experts, ou ceux qui leur sont attribués par leurs propriétaires.

Traduit de l'anglais par Jean-Louis Crémieux-Brilhac.

Fifth French printing, 1978.

Table des matières

I

Un art à la mesure du siècle de la Raison

De tous les grands peintres des trois derniers siècles, il n'en est guère autour desquels planent autant d'incertitudes sur leur vie, leurs idées, leurs aspirations et leurs maîtres que celui qu'on a appelé avec raison le « Sphinx de Delft ». Il en est peu qui ont produit au cours d'une existence consacrée à l'art un nombre aussi modeste de tableaux; et il n'en est sûrement aucun qui soit resté à peu près inconnu aussi longtemps après sa mort. Bien rares pourtant sont les peintres qui nous ont laissé l'héritage d'un génie aussi éclatant que Jan Vermeer. L'expression calme et énigmatique de la *Jeune fille endormie (ci-contre)* nous en révèle plus sur son auteur que les quelques détails de sa biographie dont la trace s'est perpétuée jusqu'à nous.

Vermeer naquit à Delft en 1632, à l'apogée d'une époque qui vit la nation hollandaise s'élever au premier rang des grandes puissances européennes. Durant cet Age d'or qui couvrit la plus grande partie du XVIIe siècle, la Hollande connut une expansion économique, sociale et politique sans égale. En l'espace d'environ soixante-quinze ans, elle produisit un ensemble de chefs-d'œuvre de la peinture dont l'éclat a été rarement surpassé.

Au sein de la pléiade de peintres qui ont contribué à cette floraison artistique, Jan Vermeer est le dernier en date des grands maîtres. Quand il mourut, à l'âge de 43 ans, en 1675, l'Age d'or touchait à son terme; la nation approchait de son déclin et il en allait de même de son art. Vermeer lui-même mourut apparemment peu connu ou médiocrement estimé et deux cents ans s'écoulèrent avant que ses toiles lumineuses et sereines soient placées au rang des plus grands chefs-d'œuvre de l'art occidental.

La peinture hollandaise du XVIIe siècle s'impose non seulement par sa profusion et par l'admirable maîtrise technique de ses créateurs, mais aussi par le réalisme aigu avec lequel ces derniers nous ont restitué le visage de la Hollande et de son peuple. Jamais auparavant un ensemble d'artistes n'avait observé le monde extérieur avec une telle lucidité, ni traduit ses observations avec autant de fidélité. Délaissant les sujets religieux, mythologiques ou allégoriques chers à la Renaissance, ils ont enregistré ce qu'ils voyaient autour d'eux avec un art incomparable qui ignore l'affectation et l'emphase.

En 1632, année de la naissance de Vermeer, un autre peintre hollandais illustre, Rembrandt, avait présenté à Amsterdam un tableau extraordi-

Prenant pour matière de ses tableaux des sujets aussi simples que ceux-ci — une jeune fille, une table, une chambre —, Vermeer a créé une œuvre peu abondante, mais qui confine à la perfection : et ce n'est pas le moindre prodige de son art qu'il fascine le spectateur par sa quiétude et le subjugue par son harmonie.

Jeune fille endormie

naire qui est sans aucun doute le plus révélateur de cet esprit nouveau. Ce tableau, *la Leçon d'anatomie du docteur Tulp,* montrait cinq chirurgiens et médecins attentifs à la leçon faite par un anatomiste hollandais célèbre sur les muscles et les tendons disséqués dans la main et l'avant-bras d'un cadavre (deux personnages supplémentaires ont été ajoutés par la suite).

En dépit de son sujet macabre et du réalisme sévère avec lequel il est traité, ce tableau fut accueilli non seulement sans répulsion mais, semble-t-il, avec un intérêt spontané. Son succès paraît attester à quel point le public était acquis à l'idée que la terre est un lieu de Raison, où l'on peut étudier avec égalité d'âme la réalité la plus sinistre — fût-ce un cadavre disséqué. Rembrandt avait abordé son sujet avec une franchise sans compromission, et avait su lui conférer dignité et beauté : ainsi avait-il créé une œuvre d'art d'une force dramatique et d'une intensité psychologique que son public était apte à comprendre.

Ce n'est pas une rencontre fortuite si cette tendance au réalisme se manifeste en ce temps et dans ce pays. L'époque qui produit Rembrandt et Vermeer est aussi celle qui voit l'avènement de la Raison comme le principe dont s'inspireront les savants et les philosophes de l'Europe. L'un des grands porte-parole de cette époque, René Descartes, illustre, à travers les six livres de son *Discours de la méthode,* la foi nouvelle de ce siècle de la Raison dans la certitude mathématique et le pouvoir de la philosophie rationnelle, au point que l'esprit rationaliste du temps paraît condensé dans son adage célèbre : « Je pense, donc je suis ». Partout les hommes s'appliquent à examiner la réalité du monde physique qui les entoure; la recherche les enfièvre, ils veulent en découvrir les lois. Les traditions poussiéreuses de l'aristotélisme et de la scolastique sont ébranlées, le mystère laisse place à l'expérience et l'observation supplante la superstition.

L'astronomie devient une science adulte quand Johannes Kepler définit, en 1609, les lois qui régissent le mouvement des planètes et quand Galilée, en 1610, observe pour la première fois les corps célestes au moyen d'un télescope. En 1627, le médecin anglais William Harvey énonce sa théorie de la circulation du sang et, quarante ans plus tard, Robert Hooke ouvre une voie nouvelle à l'histoire des sciences en publiant sa *Micrographia,* documentation minutieuse du monde microscopique. En France, Blaise Pascal apporte une contribution prodigieuse aux mathématiques.

Durant cette époque de fermentation intellectuelle, la Hollande joue un rôle hors de proportion avec sa taille et ses ressources visibles. Il ne serait pas exagéré de dire que le siècle de la Raison a brillé de ses premiers feux dans les petites villes de briques de la république des Pays-Bas. Ce n'est pas par hasard que Descartes, bien que français, a vécu vingt ans en Hollande et y a formulé des théories qui font date dans l'histoire; c'est tout simplement parce que la tolérance religieuse, une des conditions préalables du nouveau rationalisme, avait déjà force de loi dans ce pays un siècle avant que d'autres nations n'eussent cessé de brûler leurs sorcières et leurs hérétiques.

La science elle aussi put se développer librement en Hollande. Un physicien, astronome et mathématicien à l'esprit aussi universel que Christian Huygens y conçut la théorie ondulatoire de la lumière et y inventa l'horloge à balancier; l'université de Leyde construisit l'un des premiers observatoires astronomiques; les médecins hollandais furent les pionniers de la pratique scientifique de la médecine. Enfin, dans le domaine de l'optique, les Hollandais se placèrent au tout premier rang : le télescope que Galilée adopta pour ses recherches avait été inventé par les polisseurs de lentilles des Pays-Bas; le microscope, sous sa forme la plus simple, fut aussi utilisé pour la première fois en Hollande, et un ouvrage d'observation microscopique fut imprimé à La Haye une dizaine d'années avant la publication de la *Micrographia* de Hooke. Nombreux parmi les contemporains — à commencer par Descartes — furent ceux que fascinèrent les problèmes de la lumière; Descartes composa un traité où il s'efforçait de préciser — de façon partiellement exacte — ce qu'il advient de la réalité « vue » par l'œil, quand elle est interprétée par l'esprit.

Les artistes hollandais s'intéressèrent eux aussi aux problèmes de la vision et cherchèrent de nouveaux moyens de traiter la réalité perceptible. Ils s'efforcèrent d'enregistrer et de restituer ce qu'ils voyaient autour d'eux de la manière la plus conforme à la nature. Nombre d'entre eux étudièrent minutieusement les lois de la perspective; certains se passionnèrent pour la peinture en trompe-l'œil qui cherchait à donner au spectateur l'illusion de voir trois dimensions sur une surface plane. Plusieurs utilisèrent des procédés d'optique nouveaux, réduisant les scènes qu'ils voulaient peindre à une image sur une surface plane ou sur le fond de verre d'un appareil, dans l'espoir d'y trouver le reflet le plus exact de la réalité.

Ainsi, les peintres hollandais du XVIIe siècle, dans leur souci de réalisme et leur curiosité des techniques nouvelles, reflétaient l'esprit rationaliste de leur époque. Mais ils avaient aussi une dette envers la Réforme qui, à travers les bouleversements spirituels du siècle précédent, avait provoqué une véritable crise dans la situation de l'artiste.

Jusqu'au XVIe siècle, les artistes avaient dépendu habituellement du patronage des seigneurs, des confréries ou de l'Église. Ces derniers commandaient les œuvres aux artistes et formaient le marché constamment renouvelé où s'écoulait leur production. Ils déterminaient aussi dans une large mesure leurs sujets, qui étaient presque inévitablement des thèmes bibliques, des scènes allégoriques et mythologiques, ou des compositions glorifiant les vertus du donateur.

Mais la Hollande du XVIIe siècle n'était plus dominée par l'Église catholique, ni par la noblesse. Au prix d'une guerre longue et acharnée, elle s'était affranchie du joug de l'Espagne catholique et, au début du XVIIe siècle, elle était devenue une république commerçante, de religion protestante. Le calvinisme s'était solidement implanté dans cette jeune nation, et sa foi austère répugnait à l'art religieux. Privés de leurs patrons traditionnels, les artistes hollandais durent travailler pour leur compte et tenter leur chance sur le marché.

L'image de l'artiste libre, mais voué à l'insécurité, nous est familière — elle était alors révolutionnaire. Libre désormais de peindre ce qu'il voulait et comme il l'entendait, l'artiste se trouva aux prises avec une situation matérielle difficile. Si l'art était populaire en Hollande et grande la demande, l'offre était encore plus grande. Pour la première fois dans l'histoire de l'art occidental, il y eut pléthore d'artistes; le marché fut submergé et les cours baissèrent.

On ajoutera que les peintres de cette époque travaillaient de façon artisanale; leurs œuvres étaient fréquemment vendues dans des tentes dressées sur la place du marché, ou dans un bâtiment spécial les jours de marché. La concurrence était vive. Les corporations de peintres s'efforçaient de régulariser le trafic des œuvres d'art — nul ne pouvait vendre de tableaux s'il n'appartenait à une corporation — mais, sur un marché d'acheteurs, leur contrôle était faible. Des marchands acceptaient parfois de prendre en compte la production d'un artiste, ce qui lui assurait une certaine sécurité; mais il n'y avait pas comme aujourd'hui d'expositions où un intermédiaire présente des tableaux et les met en vente. Quelques peintres concluaient des arrangements profitables pour écouler leurs œuvres en dehors de circuits habituels. Tel artiste passa un contrat étrange avec un marin qui lui devait de l'argent : il peignit des toiles que le marin, s'improvisant courtier en peinture, emporta dans ses voyages pour les vendre et lui en reverser le prix.

Mais la plupart des artistes de l'Age d'or hollandais eurent grand-peine à vivre de leur art. Beaucoup s'endettèrent; plusieurs se mirent à pratiquer un second métier : ils se firent aubergistes, colporteurs, collecteurs de taxes, brasseurs. Ils apprirent à spécialiser leur production : si l'un d'eux vendait bien tel type de tableau, il persévérait dans le genre, souvent à l'exclusion de tout autre. Il en résulta pour les artistes des sujétions qui les firent dépendre plus étroitement du goût des acheteurs. En revanche, cette spécialisation contribua à la virtuosité qu'ils acquirent, chacun dans son domaine.

Cette spécialisation contribua également à orienter l'art hollandais dans plusieurs voies nettement distinctes. En effet, quand les peintres hollandais, libérés de la tyrannie de l'Église et des cours, tombèrent sous la coupe d'un public exigeant, ils découvrirent que le premier désir des acquéreurs était de trouver dans leurs tableaux une image ressemblante de leur patrie nouvellement libérée et de leur peuple. Cette demande les orienta vers quatre domaines principaux : la nature morte, le portrait, le paysage et les tableaux de genre, ou scènes de la vie quotidienne.

Les mystères de la vue ont excité la curiosité des artistes et des savants du xviie siècle, à commencer par Descartes, le grand philosophe français, qui chercha une explication scientifique du mécanisme de la perception visuelle. Le dessin ci-dessus est de lui; la fantaisie s'y mêle à la réalité : il montre les globes oculaires transmettant l'image d'un faisceau de lumière à la glande pinéale, où Descartes plaçait le siège de l'âme humaine.

La nature morte fut, pourrait-on dire, une invention de l'Age d'or hollandais et elle n'a jamais été traitée avec plus d'habileté ni de raffinement. Elle reflétait les goûts artistiques de la nouvelle bourgeoisie en même temps que sa prédilection pour un art strictement figuratif. Mais les objets quotidiens que représentaient les natures mortes étaient souvent chargés d'un sens symbolique qui répondait en même temps aux préoccupations morales des Hollandais.

Le portrait prit également une large place dans le nouveau climat de la Raison : il exprimait l'orgueil que ressentait le peuple hollandais, imbu de lui-même et de ses succès. Avec Frans Hals et Rembrandt, il acquit une sensibilité et un réalisme qui n'ont jamais été surpassés.

L'art du paysage s'inscrivait dans une tradition qui remontait à deux siècles aux Pays-Bas. Les primitifs flamands avaient peint d'innombrables paysages, mais qui étaient toujours le cadre ou l'arrière-plan de scènes bibliques ou allégoriques. Les nouveaux paysagistes prirent le paysage lui-même pour sujet et s'appliquèrent à mettre autant de beauté et d'émotion dans l'image d'un arbre isolé sous un ciel de tempête que leurs contemporains de France ou d'Italie dans les chœurs des anges.

La peinture de genre, elle aussi, tirait ses origines des primitifs flamands, en particulier de Bruegel, mais elle atteignit son apogée au xviie siècle. Dans cette catégorie entrent les vues d'intérieur et les scènes de taverne, les laitières, les buveurs et les patineurs, si caractéristiques de l'art hollandais. La peinture de genre est parfois anecdotique, se bornant à rapporter ce que le peintre a vu; cependant, elle contient souvent un message moral subtil. Sous ses formes les plus médiocres, elle n'est qu'une plate imagerie; elle peut donner des chefs-d'œuvre quand elle est servie par une technique superbe, une composition magistrale et un sens psychologique aigu.

L'évolution historique peut nous faire comprendre pourquoi l'art hollandais du xviie siècle a pris de telles formes. Mais pourquoi a-t-il atteint la perfection ? Pourquoi une telle profusion de créateurs de génie au même moment, dans une petite nation ? Ce sont là des mystères dont aucune recherche psycho-sociologique ne saurait rendre compte. Quelles qu'en furent les raisons, la Hollande commença soudain à produire au début du XVIIe siècle une étonnante pléiade de grands artistes. Une liste des peintres de l'Age d'or hollandais — même en se limitant aux maîtres incontestés — ressemble de bien près au catalogue d'un grand musée.

Frans Hals, premier portraitiste « moderne », voit le jour vers 1580; cinq ans plus tard naît Hendrick Avercamp puis, vers 1590, Hercules Seghers; ces deux derniers sont à l'origine de la peinture de paysage. (On serait tenté de dire que les Hollandais ont *inventé* le paysage : il est caractéristique que le mot anglais *landscape,* ou paysage, soit la transposition du hollandais *landschap*). Ils sont suivis par le paysagiste Jan van Goyen, né en 1596, et par Simon de Vlieger, né en 1601, spécialiste de marines. Puis viennent Rembrandt, né en 1606, et son contemporain Adriaen Brouwer, premier des grands peintres de genre.

On assiste alors à un véritable déferlement de talents. Adriaen van Ostade (1610) et Gérard Terborch (1617) sont des peintres de genre marquants; le second est également portraitiste. C'est aussi en 1617 que naît Emanuel de Witte, dont les intérieurs d'église sont des chefs-d'œuvre de perspective. Philips de Koninck (1619) est un paysagiste, Carel Fabritius (1622), un des maîtres les plus doués d'Amsterdam et de Delft, mourra prématurément, en laissant seulement un petit nombre de tableaux qui ont pu influencer le jeune Vermeer. Willem Kalf (1622) est un peintre de natures mortes, Jan Steen (1626) s'impose au premier rang des peintres de genre. Jacob van Ruysdael (vers 1630) est le plus grand paysagiste de tous. Pieter de Hooch et Gabriel Metsu (1629) sont des peintres de genre — de Hooch est en son temps le plus populaire. Vermeer naît en 1632, Nicolaes Maes, autre peintre de genre, en 1634.

Puis soudain la source se tarit.

Durant soixante-quinze ans, ces grands artistes et des centaines de peintres de moindre talent produisent une véritable profusion de toiles, des centaines de milliers de tableaux qui, s'ils ne sont pas tous des chefs-d'œuvre, attestent toutefois avec continuité une maîtrise technique étonnamment poussée. « Il ne peut sûrement exister d'autre pays au monde où il y ait tant de tableaux et si excellents », écrit un Français du XVIIe siècle, professeur à l'université de Leyde.

Les tableaux de Rembrandt et de Vermeer se détachent de cette production comme les créations d'hommes de génie qui dominent de très haut le langage de leur époque et de leur contrée. Rembrandt est hollandais, mais il est universel. Son génie fait éclater les catégories et les spécialités où s'enferment tant de peintres hollandais. Il n'a que vingt-six ans quand il exécute sa *Leçon d'anatomie,* où nous voyons comme le résumé de toute une époque. Portraitiste hors de pair, il prend aussi bien pour modèles des riches bourgeois que des mendiants haillonneux et il laisse au moins 80 portraits de lui-même; paysagiste sans égal, c'est aussi un peintre de scènes bibliques et allégoriques tout illuminées de ce flot de lumière dorée qui est sa marque. On peut dire qu'il est lui-même une œuvre d'art.

Il est difficile d'imaginer un artiste plus différent de Rembrandt que Jan Vermeer. Tout d'abord, tandis que Rembrandt connut de son vivant la gloire et la richesse et eut des centaines de commandes, Vermeer semble n'avoir produit qu'une faible impression sur son époque : trois références contemporaines seulement à ses tableaux sont parvenues jusqu'à nous. Il résulte des indications dont nous disposons qu'à la différence du prodigieux Rembrandt, qui produisit des centaines de toiles et des milliers de dessins, Vermeer mena une vie effacée et produisit peu. Moins de 40 œuvres de Vermeer sont connues aujourd'hui; on ignore combien il put en vendre de son vivant — si même il y parvint.

La gamme de ses sujets est extraordinairement restreinte. Presque tous ses tableaux semblent avoir pour cadre deux petites pièces de sa maison de Delft; on y retrouve le même mobilier et les mêmes éléments de décor, disposés de diverses façons, et l'on y retrouve souvent aussi les mêmes personnages, principalement féminins. Ces femmes sont occupées à des tâches domestiques : elles s'affairent dans leur cuisine, font de la dentelle, jouent d'un instrument de musique, écrivent, se parent. Rien autour d'elles ne rappelle l'agitation de tant de scènes d'intérieur contemporaines. Il ne s'y produit pratiquement aucun mouvement, ce sont tous des fragments d'un même univers. Comme l'a écrit Marcel Proust : « C'est toujours, quelque génie avec lequel ils soient recréés, la même table, le même tapis, la même femme, la même nouvelle et unique beauté. »

La *Jeune fille endormie* *(page 9)* est une œuvre de jeunesse de Vermeer : on pense qu'il l'a peinte aux environs de vingt-cinq ans, mais elle est révélatrice de bien des objets et des modes de composition devenus familiers dans ses œuvres ultérieures. Les chaises de cuir à clous de cuivre, aux montants décorés de muffles de lion, la tenture persane creusée de plis profonds, utilisée comme tapis de table, le pichet de faïence blanche, la carte géographique au mur, à droite de la porte, tous ces objets se retrouvent dans des œuvres ultérieures. Quant à la disposition insolite et presque abrupte de la chaise et de la table au premier plan, qui a pour effet de séparer le sujet du spectateur au moyen d'un objet physique et non seulement par la distance, c'est un arrangement que l'artiste a utilisé dans au moins une douzaine de ses œuvres.

D'autres traits distinguent pourtant la *Jeune fille endormie* des œuvres de maturité de Vermeer : ainsi l'utilisation des bruns et des rouges vifs dans ses œuvres de jeunesse, alors que ses œuvres plus tardives sont dominées par des harmonies délicates de bleus et de jaunes. De même, après la *Jeune fille endormie,* Vermeer n'eut plus recours au procédé de la porte ouverte conduisant à une autre pièce située derrière le sujet — bien que ce dispositif fût très populaire chez les peintres de genre de son époque.

On pourrait penser à première vue que la *Jeune fille endormie* a été peinte sur commande pour le marché florissant des portraits, des natures mortes et des scènes de genre. Vermeer était capable de conquérir la renommée et l'aisance en produisant toutes les variantes possibles de scènes de cuisine ou d'intérieur, pour orner des douzaines de salons. Mais il ne l'a pas fait et, si nous examinons son œuvre plus attentivement, nous commençons à voir pourquoi. C'est seulement au premier regard que la *Jeune fille endormie* de Vermeer est semblable à la *Jeune fille endormie* de son contemporain Nicolaes Maes, ou aux tableaux consacrés au même thème exécutés par les autres peintres de genre. Ces derniers cherchent volontiers à faire sourire : leur servante est paresseuse et sera grondée quand reviendra sa maîtresse; et ils ont mis de la sensualité en cette jeune fille assoupie que l'on observe à son insu. De telles évocations conviennent bien à un tableau destiné à une habitation bourgeoise et contribuent à expliquer la qualité durable de la peinture de genre hollandaise.

On ne retrouve rien de cette chaude atmosphère de bien-être autour de la jeune fille de Vermeer. On ne peut deviner qui elle est, pourquoi elle dort, ni à quoi elle rêve. On a même suggéré qu'elle était en réalité perdue dans ses pensées et non pas endormie, mais le peintre ne nous livre aucun indice clair. Il n'y a rien d'anecdotique ici, rien d'amusant. La jeune fille ne pose pas — au point d'apparaître moins comme une jeune fille près d'une table que comme une forme colorée. Elle reste distante, froide, étrangère.

On voit mal quel confort moral un bourgeois hollandais aurait pu éprouver au spectacle d'un tableau de ce genre présidant à sa vie domestique. C'est probablement pourquoi Vermeer n'a pas réussi sur le marché des œuvres d'art de son époque. On imagine un acheteur éventuel murmurant : « Non ! Vermeer est trop froid pour mon goût ! Il manque par trop de vie. »

Aujourd'hui, nous ne considérons plus les rares Vermeer de nos musées dans le même esprit qu'un négociant hollandais en quête d'un cadeau pour sa femme. Nous avons appris à les voir différemment. La photographie, qui nous permet de préserver la réalité d'un instant, de l'étudier et de la faire nôtre, a entraîné notre œil à être sensible à des aspects et à des nuances qu'il n'aurait peut-être pas été capable de percevoir spontanément : à ce halo dont la lumière du jour filtrant par une fenêtre entoure un visage de femme, à son éclat sur un bijou ou même sur la croûte d'un pain, au relief et au volume inhabituels que prend un objet situé au premier plan par rapport à ceux qui sont plus éloignés.

Ce sont des choses que Vermeer a vues avec une extraordinaire lucidité. Bien que son œuvre soit loin d'être photographique, c'est-à-dire de se borner à être un pur miroir, il a saisi et enregistré mieux qu'aucun peintre de son temps l'apparence précise des objets tels qu'ils sont définis par la lumière et l'espace.

Son œuvre est au surplus d'une qualité personnelle extrêmement moderne. Il se pourrait que Vermeer, loin d'avoir échoué sur le marché de son époque, ait traité celui-ci avec dédain. Entre tous ses émules habiles ou brillants, il est le seul qui paraisse peindre uniquement pour lui-même. En cela, il est très en avance sur son temps, car c'est seulement au cours du dernier siècle que l'art, dans son ensemble, est devenu personnel et que les artistes ont appris à peindre pour eux-mêmes au lieu d'essayer de plaire à un public ou de s'insérer dans une tradition.

C'est ce modernisme de Vermeer qui a conduit Proust à dire de lui : « Il est une énigme dans une époque où rien ne lui ressemble, ni ne l'explique. » Et, cependant, vue dans une autre perspective, la peinture de Vermeer fait incontestablement partie de l'art nouveau de son époque. René Huyghe écrit, en apparente contradiction avec Proust, « Vermeer est... l'un des plus parfaits symboles de son époque et de son pays. »

Ces deux appréciations concordent toutefois : Vermeer, bien que traitant des sujets familiers à ses contemporains et souvent reproduits par les artistes de son temps, a su prêter à ces thèmes prosaïques un lustre et une signification qui lui sont propres et qui nous les font paraître extraordinairement différents. On peut dire en un sens qu'il a triomphé du réalisme de son temps : il a traité des sujets réels avec une extrême fidélité, mais en les parant de sa vision qui leur donne cette qualité particulière et personnelle.

« Son univers est secret, impénétrable et dominé par son ego », écrit René Huyghe. « Sa poésie est enracinée dans son époque, elle en tire toute sa force, mais seulement afin d'atteindre les sommets où elle s'isole de la forêt qui est au-dessous d'elle et qu'elle domine. » C'est cette vision particulière de son univers, baigné par la clarté chaleureuse de la couleur et du jour, qui distingue le Maître de Delft.

L'image, devenue par la suite conventionnelle, du peintre tremblant de froid dans un grenier, telle que nous la représente ici Pieter de Bloot, est un produit du XVIIe siècle hollandais. Jusqu'alors, les artistes avaient vécu des commandes de l'Église et des nobles; avec l'ascension des classes moyennes, ils durent rivaliser pour conquérir la faveur du public. Certains d'entre eux complétèrent leur revenu en vendant des produits fabriqués, en faisant le commerce d'œuvres d'art ou en gérant une taverne où leurs toiles étaient exposées, trois activités que pratiqua Vermeer.

Le paradoxe de la réalité

On a souvent salué en Vermeer un maître du réalisme — mais l'est-il vraiment? Ses œuvres — contrairement à celles des peintres contemporains qui ont représenté le cadre de leur vie, celui de la Hollande du XVIIe siècle — dépassent de loin les limites de la peinture « réaliste »; elles soulèvent par là-même une question fondamentale pour l'intelligence et l'appréciation de toute création artistique, à savoir : qu'est-ce que le « réel » dans l'art? Ainsi, autour de la *Femme à la fenêtre (ci-contre),* plane le sentiment aigu d'une sorte d'immobilisation des mouvements et du temps. Nous avons tous l'expérience de ces instants fragiles où l'esprit en éveil prend conscience que soudain « le temps s'arrête ». Vermeer a su plus d'une fois capter de tels instants. Il en est de même de la lumière égale, de la lumière calme et sereine qui baigne ses toiles : a-t-il connu cette atmosphère de paix dans la vie réelle, lui qui a vécu et travaillé entouré de ses onze enfants dans une maison qui abritait une taverne, en bordure d'un marché bruyant?

« Une œuvre d'art », suivant un mot fameux, « c'est la nature vue à travers un tempérament ». Seul le tempérament de l'artiste, transcendant sa simple habileté manuelle, peut élever un tableau au niveau d'une œuvre d'art. Le réalisme ne consiste donc pas pour l'artiste à imiter simplement la vie, mais à voir ce qui est sous la surface des choses : telle est bien la réalité qui relie l'art intemporel de Vermeer à celui de peintres aussi différents que ceux dont on trouvera quelques œuvres reproduites dans les pages suivantes.

Rayonnant de la lumière suave qui baigne les tableaux de Vermeer, la *Femme à la fenêtre* incarne une réalité étrange qui n'appartient qu'à elle. Depuis qu'elle a quitté la demeure de l'artiste, ses ombres et ses modulations innombrables du bleu outremer le plus pur ont pris, avec les années, une intensité plus grande.

Femme à la fenêtre

THE METROPOLITAN MUSEUM OF ART, NEW YORK, DON DE HENRY G. MARQUAND, 1889

Hans Hofmann : *Incantation nocturne*, 1965

COLLECTION MUSÉE D'ART MODERNE, NEW YORK

Andrew Wyeth : *L'Univers de Christine*, 1948

De ces deux toiles, laquelle est la plus réelle, *l'Univers de Christine* d'Andrew Wyeth *(ci-dessus)*, ou l'œuvre abstraite de Hans Hofmann, *Incantation nocturne (à gauche)* ? Le tableau de Wyeth, sommes-nous tentés de répondre : c'est une image reconnaissable exécutée avec un soin méticuleux. Mais, comme Wyeth lui-même l'a révélé, il ne l'a pas peinte d'après nature, il n'avait aucun sujet particulier en tête. Il a vu une femme paralysée ramper dans un champ et cette vision soudaine a suffi à stimuler son imagination. Il est descendu dans le champ et a griffonné un croquis de la maison; puis, de retour dans son atelier, il a entrepris de peindre le tableau. Rien de plus. « Vous le voyez, dit-il, mon souvenir était plus proche de la réalité que la réalité même ».

Hans Hofmann, au contraire, a été mû d'abord par une aspiration — le désir d'animer et d'éclairer à l'aide de couleurs le vide de sa toile. L'art était pour lui « une réalité créée » et c'est une réalité de ce genre qu'il a produite ici, sans souci de représentation d'aucune sorte. Son œuvre, en ne prétendant être rien de plus qu'elle-même, c'est-à-dire de la peinture sur une toile, a une réalité. *L'Univers de Christine*, selon le témoignage de Wyeth lui-même, est un souvenir peint.

Aux yeux du spectateur du XXe siècle, le *Retable de l'Annonciation* de Robert Campin paraît étroitement lié au réel : on a tendance à y voir le reflet d'un intérieur bourgeois du XVe siècle flamand; mais le spectateur d'il y a cinq cents ans y trouvait bien davantage. La religion avait à cette époque une force si puissante que l'esprit de Dieu y était sensible dans presque

Robert Campin : *Retable de l'Annonciation*, v. 1425

tous les aspects du monde quotidien. Ainsi Campin a-t-il pu placer la Vierge dans ce cadre familier parce que les objets ordinaires qui l'y entourent figuraient des choses irréelles et intangibles — des symboles aisément reconnaissables aux yeux des donateurs du retable (que l'on voit agenouillés dans le panneau de gauche). Le linge sur lequel repose le livre de la Vierge, les fleurs de lys, la serviette au mur, le chaudron, symbolisent tous la pureté de la Vierge. Même la souricière placée sur l'établi de Joseph a un sens bien défini : elle symbolise la Croix car, selon saint Augustin, la Croix, avec Jésus pour appât, est le piège où le diable s'est laissé prendre et qui a aidé à son tour l'humanité à se libérer de l'emprise du malin.

NASJONALGALLERIET, OSLO

Edward Munch : *Le Cri*, 1893

Par opposition au retable de Campin, qui a l'air si proche du réel et qui ne l'était pas, ces deux œuvres des peintres expressionnistes modernes Paul Klee et Edward Munch paraissent totalement irréalistes. Pourtant, les deux artistes ont manifestement voulu représenter une réalité bien vivante, la réalité de cette émotion élémentaire qu'est la peur — et ils y ont réussi.

Dans *le Cri (ci-dessus)*, Munch a projeté la peur avec une intensité viscérale, il a extériorisé une réalité intérieure, il a rendu tangible ce qui ne l'était pas. L'anxiété déchirante du personnage à tête de mort jaillit par sa bouche ovale comme un hurlement qui se répercute à travers tout le paysage en dansant et tournoyant sur lui-même, parmi de grands écheveaux de peintre aux colorations bilieuses suggérant qu'une telle peur est sans rémission ni remède.

Klee dans son *Masque de la peur (ci-contre)* a, au contraire, tourné son regard vers l'intérieur. Il a fait émerger de son inconscient la créature multipattes que voici, qui trotte sous son terrifiant fardeau, les yeux fixés dans un ahurissement aveugle.

Alors que le personnage de Munch projette son angoisse sur le monde, le simulacre d'homme introverti que nous livre Klee garde son anxiété verrouillée au fond de lui-même, derrière un masque qui est aussi un bouclier.

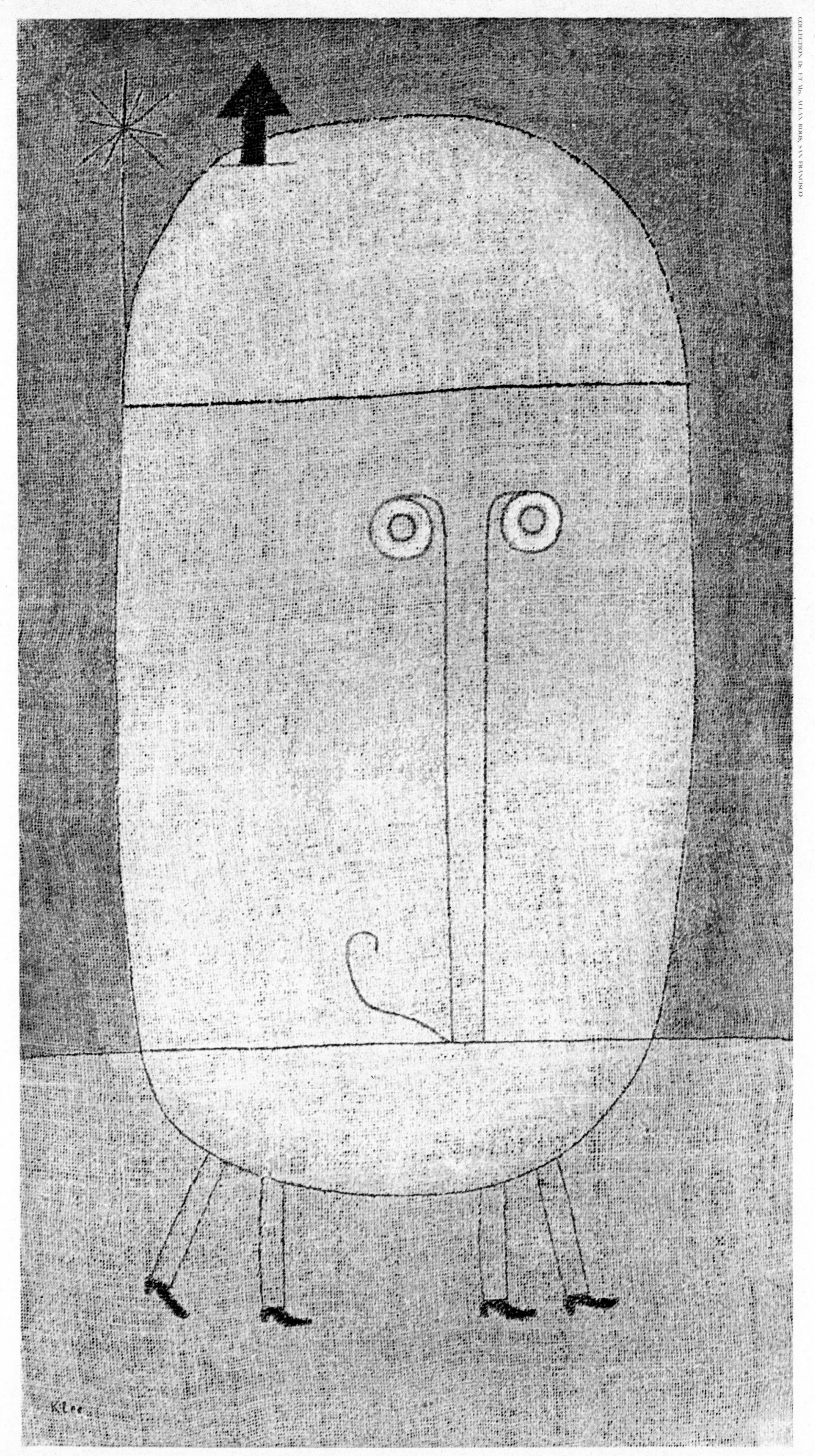

COLLECTION Dr. ET Mrs. ALLAN ROOS, SAN FRANCISCO

Paul Klee : *Masque de la peur*, 1932

THE METROPOLITAN MUSEUM OF ART, NEW YORK. FONDS ARTHUR HOPPOCK HEARN, 1942

Mark Tobey : *Broadway*, 1942

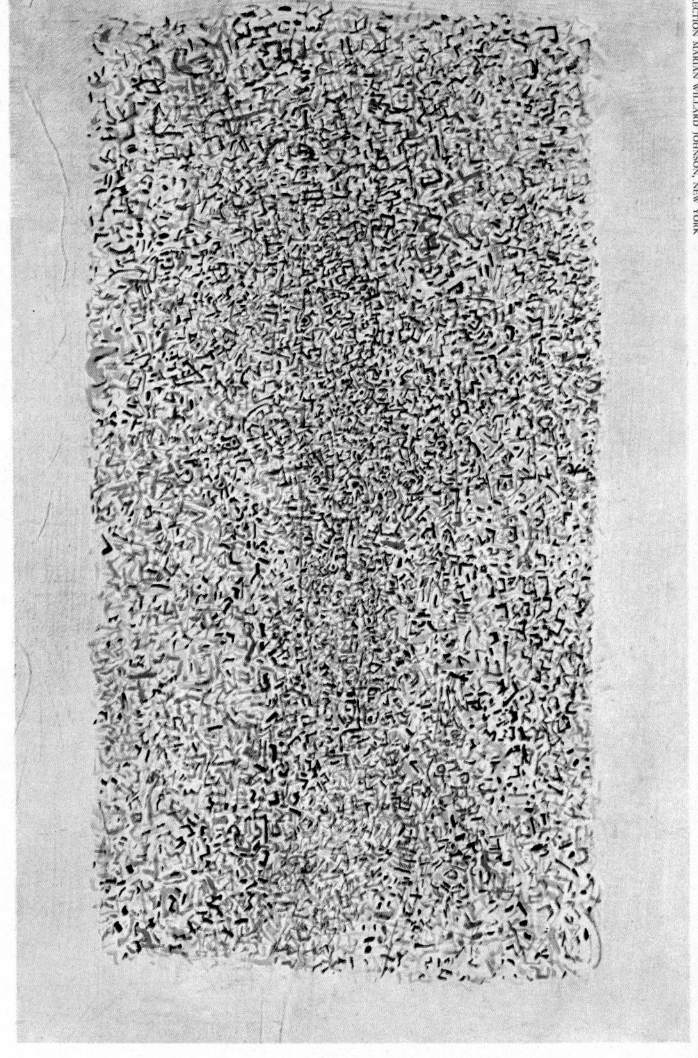

COLLECTION MARIAN WILLARD JOHNSON, NEW YORK

Mark Tobey : *La Cité universelle*, 1951

Une question déroutante se pose aux artistes qui se sont donné pour tâche de reproduire ce qu'ils voient : les choses sont-elles jamais comme elles nous semblent ? Assis des journées entières à son chevalet devant deux meules de blé, Claude Monet, pionnier de l'impressionnisme, les a regardées changer de couleur selon les variations de la lumière et il en a tiré une douzaine d'études : deux d'entre elles sont reproduites ici. En fixant ainsi chaque fois l'image d'un instant évocateur, en restituant ses « impressions devant les effets les plus fugitifs », Monet a témoigné de sa fraîcheur d'âme et de sa spontanéité.

En démontrant que l'objet observé diffère d'un instant à l'autre, Monet a soulevé une autre question encore : si rien n'est exactement comme il l'était, le concept d'une chose ne peut-il être plus réel que la chose elle-même ? Le peintre américain Mark Tobey a tenté de répondre à cette question dans des œuvres qui représentent ce qu'il a appelé « la réalité conceptuelle ». C'est le *concept* de la ville selon Tobey qui est le sujet des toiles ci-dessus. La première, *Broadway*, a été peinte non pas à New York, mais en Angleterre, dans le Devonshire où « les nuits étaient si sombres et si tranquilles qu'on pouvait, écrit-il, y entendre respirer les chevaux ». Pourtant Tobey a su — malgré la distance — emplir sa toile des lumières, de l'excitation accumulée et même, dirait-on, du tumulte de Broadway. Dans le second tableau, il a dissous les vestiges d'imagerie et de perspective de sa première version en un amalgame de coups de pinceaux grouillants qui, sans représenter rien d'identifiable, suggère néanmoins puissamment le dynamisme et la pression de la grande métropole.

ART INSTITUTE OF CHICAGO, COLLECTION (COMMÉMORATIVE) Mr. ET Mrs. LEWIS L. COBURN

Claude Monet : *Les Deux meules*, 1891

J.H. WHITTEMORE CO., NAUGATUCK, CONN.

Claude Monet : *Les Deux meules*, 1891

La seule réalité qui soit commune aux peintres est la lumière qui rend visible tout ce qu'ils peignent. Sans elle, la peinture n'existerait pas et nombreux sont ceux qui ont été attirés vers elle comme vers une source de vie et qui ont fait de la lumière elle-même le sujet de leurs tableaux. Monet en est un exemple type; Vermeer dans une large mesure en est un autre. Même Hans Hofmann, dans l'œuvre non figurative reproduite dans les pages précédentes, peut passer pour avoir peint la lumière, puisque ses couleurs éclatantes ne sont rien de plus que ce que Gœthe appelait « les hauts faits de la lumière ».

La fascination de Vermeer devant la lumière se manifeste de bien des façons, mais notamment dans ses natures mortes, car il y a trouvé l'occasion de transformer et d'ennoblir des arrangements simples d'objets ordinaires, comme la cuvette et le pot à eau reproduits dans le détail ci-contre de la *Femme à la fenêtre (page 17)*. Le peintre français du XVIIIe siècle Chardin *(ci-dessous)* a partagé cette fascination, ce qui lui a valu d'être souvent comparé à Vermeer. Dans les spécimens de leurs œuvres reproduits ici, les deux artistes font preuve d'une subtilité de touche qui s'apparente à la magie. Mettez la main en cornet au-dessus de la cruche de Vermeer afin d'endissimuler la forme et d'oublier en quelque sorte ce qu'elle représente. Tout ce qu'il en reste est la peinture — une peinture capable de recréer de la lumière par son seul sortilège.

MUSÉE DU LOUVRE, PARIS

Jean-Baptiste Chardin : *Le Gobelet d'argent*, v. 1759

MUSÉE PRINSENHOF, DELFT

II

L'Age d'or

Le soir du 5 juin 1648, des feux de joie et des feux d'artifices illuminèrent toutes les villes des Pays-Bas; les Hollandais célébraient la fin victorieuse de leur guerre de libération. Le matin de ce même jour, à 10 heures précises, les termes du traité de paix avec l'Espagne avaient été lus au cours d'une cérémonie simple et digne devant la Cour suprême de Justice de La Haye. L'instant choisi pour cette cérémonie lui donnait un caractère dramatique. Un autre 5 juin, également à 10 heures du matin, l'exécution des deux premiers héros de la révolution hollandaise avait consommé la rupture avec l'oppresseur. Les comtes d'Egmont et de Hoorn s'étaient efforcés d'obtenir pour leur pays un allègement de la tyrannie espagnole. Au lieu de négocier avec eux, le représentant du roi d'Espagne les avait fait arrêter : ils avaient été décapités à Bruxelles devant une foule silencieuse et les assistants avaient fendu les rangs des soldats espagnols pour aller tremper leurs mouchoirs dans le sang des premiers martyrs de cette longue guerre.

On ne peut dissocier la carrière de Vermeer de cet âpre conflit. Il durait encore à l'époque de sa naissance, et faisait déjà rage quand son père et probablement son grand-père étaient nés. Fait plus important encore, il devait exercer une influence déterminante sur le caractère de la nation et sur l'art hollandais du XVIIe siècle tout entier.

Jan Vermeer et les autres artistes de l'école hollandaise ont vécu à une époque où tous les aspects de l'existence ont subi le contrecoup brutal de la guerre et de ses violences. De ces bouleversements, la Hollande allait émerger comme une république protestante agressive, dotée d'une société bourgeoise et d'une économie capitaliste. Ces conditions particulières contribuèrent à créer un climat où les artistes s'épanouirent comme des fleurs en serre chaude — comme si la guerre avait réuni tous les éléments nécessaires à la génération spontanée de l'art et du talent.

La révolte qui suivit l'exécution des comtes d'Egmont et de Hoorn couvait en fait depuis plus d'une dizaine d'années, depuis que Charles-Quint, souverain du Saint Empire romain germanique, avait abdiqué en faveur de son fils Philippe II en lui léguant l'Espagne, les 17 provinces des Pays-Bas et le fabuleux Nouveau Monde. Les Hollandais s'étaient accoutumés depuis le Moyen âge à se plier à des lois et des ingérences étrangères. Ils n'avaient rien de particulier à reprocher à Charles Quint,

Le prince Guillaume d'Orange, champion de la liberté des Pays-Bas, respire la froide énergie de l'homme qui a osé se dresser contre le roi d'Espagne dans la lutte engagée par la Hollande pour conquérir son indépendance. Mis au ban du royaume par le monarque furieux, il mourut assassiné.

Michiel Jansz. van Miereveld: *Le Prince Guillaume d'Orange*, 1620 qui, né à Gand, était en somme un des leurs et qui avait d'ailleurs accordé aux habitants des Pays-Bas une large autonomie dans la gestion de leurs affaires intérieures.

Mais le nouveau roi Philippe était d'un caractère bien différent. Catholique intransigeant, prince morose et tyrannique, il détestait les pays du Nord et était indifférent à tout ce qui ne concernait pas l'Espagne et sa religion. En août 1559, il fit un bref séjour aux Pays-Bas et adressa un discours glacial aux États-Généraux. Il exigeait des Hollandais une contribution de trois millions de florins en plus des impôts déjà perçus, la suppression de toutes les sectes protestantes et une soumission totale à sa demi-sœur Marguerite, duchesse de Parme, qu'il nomma régente des Pays-Bas. Après un adieu lourd de menaces, Philippe II fit voile pour l'Espagne d'où il ne devait plus sortir.

Les premiers effets de cette politique intransigeante furent de soulever les protestants des Pays-Bas, dont l'esprit était déjà enflammé par les prêches anticatholiques de leurs pasteurs. En 1566, une vague de révolte religieuse déferla sur le pays. Dans leur zèle pour la Réforme, les foules attaquèrent les églises catholiques, renversèrent les statues, « symboles de l'idolâtrie », brûlèrent et brisèrent tout ce qui avait rapport avec le clergé détesté. Un observateur anglais parlant de ces émeutes déclarait : « On se serait cru en enfer, mille torches flambaient, le vacarme était horrible comme si le ciel et la terre s'entrechoquaient, tandis que s'écroulaient les statues et les œuvres de prix. » D'inestimables richesses de l'art médiéval furent détruites au cours de cet autodafé qui dura près d'un mois.

La riposte espagnole fut brutale et sans pitié. En 1567, 10 000 soldats placés par Philippe sous les ordres du duc d'Albe furent envoyés aux Pays-Bas pour renforcer le pouvoir de la duchesse de Parme : ce fut le début de la « furie espagnole ». L'une après l'autre, les villes furent assiégées, prises et mises à sac. Le duc d'Albe s'acquitta de sa mission avec un zèle qui lui valut, ainsi qu'à ses compatriotes, la haine de toute la Hollande. Afin de juger les citoyens coupables d'hérésie et de sédition, il institua un tribunal appelé le « Conseil des Troubles » et que les Hollandais surnommèrent le « Conseil du Sang ». C'est ce tribunal qui allait envoyer au supplice les comtes d'Egmont et de Hoorn. Aux alentours de 1568, des Hollandais étaient condamnés à mort par groupes de 30, 40 et 50 et leurs biens confisqués par la couronne.

C'est alors que la jeunesse noble décida de prendre les armes contre l'oppresseur. Plus tard, la résistance contre l'Espagne se transforma en une révolution bourgeoise, voire démocratique, mais, à ses débuts, elle fut dirigée par les princes et les comtes. Egmont et Hoorn appartenaient à cette noblesse dont le représentant le plus éminent était sans conteste le prince Guillaume d'Orange *(page 28)*, qui allait entrer dans la légende sous le surnom de Guillaume le Taciturne.

Le rôle de Guillaume d'Orange peut se comparer à celui que devaient jouer deux siècles plus tard George Washington dans les colonies anglaises d'Amérique, Bolivar en Amérique latine : Guillaume fut véritablement le Père de la nouvelle République. Il devint rapidement le pilier de la résistance, sa voix, son chef, il trouva les hommes et l'argent nécessaires pour mener la lutte. Agé de vingt-six ans à peine lors du départ de Philippe II pour l'Espagne, Guillaume s'était déjà acquis une réputation de brillant diplomate, d'humaniste et de galant cavalier; il était l'héritier des riches domaines de la Maison de Nassau qui possédait dans le Sud de la France la petite principauté indépendante d'Orange.

A l'avènement de Philippe II, Guillaume d'Orange était Stathouder

— c'est-à-dire représentant du roi — dans les puissantes provinces néerlandaises de Hollande, de Zélande, d'Utrecht et en Franche-Comté. Au début, Guillaume et ses partisans eurent grand soin de protester de leur loyauté et de leur attachement au nouveau roi, leur suzerain. Leur lutte, avaient-ils coutume de dire, n'était pas dirigée contre la couronne, mais contre les injustices et les exactions commises en son nom. L'hymne national hollandais datant de cette époque contient toujours un vers qui fait dire à Guillaume : « J'ai toujours honoré le roi d'Espagne ». Cependant le caractère implacable du duc d'Albe et l'intransigeance de Philippe II incitèrent peu à peu Guillaume d'Orange à adopter une position extrémiste. Ici encore, la comparaison s'impose avec les événements qui devaient aboutir à la révolution d'Amérique, ou avec tant d'autres mouvements nationaux plus récents.

En 1574, Leyde, assiégée par les Espagnols, fut délivrée par des flibustiers hollandais surnommés les « Gueux de la mer ». Ce haut fait d'armes marqua le premier tournant de la guerre. Ces Gueux étaient de rudes marins prêts à tout, qui s'étaient organisés en bandes semi-militaires afin de harceler les Espagnols en toute occasion. Bien souvent, les Gueux, plus pirates que combattants réguliers, n'hésitaient pas à poursuivre d'inoffensifs navires pour s'emparer de leur cargaison et à aller même jusqu'à faire main basse sur les villes anglaises du littoral. Le prince Guillaume désapprouvait ces activités douteuses; aussi est-ce sans enthousiasme qu'il accepta de les enrôler dans ses forces; les Gueux devaient cependant prouver leur efficacité dans la lutte contre l'Espagnol.

La libération spectaculaire de la ville de Leyde par ces aventuriers illustre bien l'esprit dans lequel les Hollandais menaient la lutte. Leyde n'est pas un port. La ville est située à plusieurs kilomètres de la mer. Mais, dans leur acharnement à se défendre contre les troupes du duc d'Albe, les habitants avaient rompu les digues et inondé les terres pour arrêter l'ennemi ; c'est à travers cette campagne envahie par les eaux que les Gueux lancèrent leurs bateaux au secours de la ville. Des milliers d'hectares de terres cultivées furent dévastés par la mer; cependant, les Hollandais n'hésitèrent pas à renouveler ce sacrifice chaque fois qu'il était utile, pas plus qu'ils n'hésitèrent à incendier leurs récoltes pour nuire à l'Espagnol détesté.

Cinq ans après la victoire de Leyde, les huit provinces du Nord — Hollande, Utrecht, Zélande, Gueldre, Overijssel, Frise, Groningue et Drenthe — signèrent un traité qui fut appelé « l'Union d'Utrecht ». Les Provinces avaient jusqu'alors lutté en rangs dispersés sous le contrôle lointain de Guillaume d'Orange; désormais, elles allaient être étroitement unies pour la défense commune. Deux ans plus tard, la rébellion entra dans sa phase finale : les Provinces-Unies se refusèrent désormais à reconnaître la suzeraineté du roi d'Espagne. Les États-Généraux se réunirent en 1581 pour rédiger une déclaration qui devait justifier leur décision sur le plan moral :

« Comme il appert à tous qu'un prince est établi par Dieu pour gouverner les peuples et que Dieu n'a pas créé les peuples pour être esclaves de leur prince et obéir en toutes choses justes ou injustes, mais plutôt le prince pour faire le bien de ses sujets... [en conséquence] lorsque le prince manque à ses devoirs en opprimant ses sujets, ceux-ci ont non seulement le devoir de rejeter son autorité, mais ils peuvent légalement choisir un autre prince pour les défendre ».

Le prince vers lequel se tournaient les Provinces-Unies était Guillaume d'Orange. Le roi d'Espagne vit dans ce dernier la cause de toutes ses difficultés. Tombant dans une erreur qui devait être commune à bien des hommes d'État, Philippe II crut que la guerre était le fait d'une poignée de meneurs et non le résultat de profonds conflits sociaux ressentis par tout un peuple. Il fit publier une sentence infâmante qui dénonçait Guillaume comme « le grand Perturbateur de toute la Chrétienté et plus particulièrement des Pays-Bas », et le mettait hors la loi; il offrait à qui le tuerait une somme de vingt-cinq mille couronnes d'or, amnistie pleine et entière et un titre de noblesse espagnole.

Le prince d'Orange tenait sa cour à Delft qui, de par sa position stratégique, était devenue la citadelle de la cause révolutionnaire. (Nul n'imaginait encore la renommée artistique que la ville acquerrait cinquante ans plus tard.) Ce fut à Delft que, le 10 juillet 1584, alors que Guillaume et les États-Généraux s'étaient réunis pour jeter les bases d'un gouvernement national, un catholique fanatique du nom de Balthasar Gérard s'introduisit dans la maison du prince et l'abattit d'un coup de feu. Gérard, qui avait préparé son attentat pendant deux ans, fut immédiatement arrêté; pour prix de son forfait, il fut jugé sommairement, torturé et mis à mort par une foule déchaînée.

Dans la confusion qui suivit la disparition de son chef, le parti de la liberté fut pendant un certain temps en butte à de cruelles épreuves; mais la colère que cet assassinat avait fait naître dans le cœur des Hollandais était trop vive pour s'éteindre. Après quelques années, l'un des fils de Guillaume d'Orange, Maurice de Nassau, prit la tête de la rebellion et la lutte reprit de plus belle. Des villes furent prises et reprises, les soldats tuaient ou étaient massacrés, les paysans voyaient leurs maisons et leurs moissons brûler et rebrûler encore; une région du Sud des Pays-Bas changea 25 fois de mains en onze ans.

Maurice de Nassau se révéla grand capitaine, mais les contemporains ne se doutaient pas que le sort s'était prononcé avant même la mort de Guillaume d'Orange. Ni assassinats, ni sièges, ni batailles ne pouvaient empêcher la guerre de suivre inexorablement son cours en faveur de la Hollande. Car la révolution hollandaise n'était pas le fait d'un homme et de son entourage. La Renaissance et la Réforme avaient balayé les notions périmées selon lesquelles les populations et les territoires pouvaient être cédés ou légués comme des biens de famille. Aucun lien n'était désormais assez puissant pour maintenir les bourgeois d'Amsterdam sous la domination du lointain monarque de Madrid.

En 1600, les Hollandais remportèrent une victoire décisive à Nieuport et il apparut dès lors clairement qu'ils gagneraient la guerre. La paix définitive ne put être conclue que quarante ans plus tard, mais une trêve fut signée en 1609 et les armées espagnoles ne menacèrent jamais plus la Hollande. Dès le début du siècle, les Pays-Bas purent gérer leurs affaires en nation pratiquement indépendante. Ces premières années du XVIIe siècle qui voient apparaître les toiles de Frans Hals, d'Hercules Seghers et d'Hendrich Avercamp ouvrent l'Age d'or de l'art hollandais. La naissance de la nouvelle école de peinture coïncide si étroitement avec celle de la nation qu'un historien français de l'art a pu noter « que le droit d'avoir une école de peinture libre et nationale semble faire partie des stipulations du traité de 1609. »

Cette nouvelle école de peinture est en fait issue de l'art flamand qui, au cours des siècles précédents, avait produit des maîtres tels que van Eyck, Jérôme Bosch et les Brueghel. Mais, tandis que la carrière de peintres flamands aussi illustres que Rubens ou van Dyck allait se poursuivre brillamment au cours du XVIIe siècle dans la tradition européenne, l'école hollandaise s'orienta vers une recherche plus poussée du réalisme et se manifesta comme un courant indépendant.

L'évolution de ces deux écoles de peinture est étroitement liée aux événements politiques du temps. Quand les huit provinces septentrionales se groupèrent pour former « l'Union d'Utrecht », elles délimitèrent à l'intérieur des Pays-Bas une frontière qui est restée sensiblement la même jusqu'à nos jours. Les provinces du Sud qui ne se rallièrent pas à l'Union — et qui correspondaient approximativement à la Belgique actuelle — ne pouvaient pas ou ne tenaient pas particulièrement à rompre avec l'Espagne catholique. Ces provinces restées féodales étaient dominées par une noblesse de langue française, sans aspirations bien définies. Les rares protestants du sud se réfugièrent au nord; beaucoup d'entre eux étaient des hommes d'affaires anversois et leur départ affaiblit les provinces méridionales autant que l'avait fait l'occupation espagnole qui y sévissait encore. Il allait s'écouler deux siècles avant que la Belgique ne devînt une nation stable et indépendante.

Les provinces du Nord que l'on appela la Hollande, du nom de la plus vaste et la plus prospère d'entre elles, connurent alors leur plein épanouissement. La guerre n'avait pas seulement délimité les frontières d'une nation, elle avait transformé l'esprit de ses habitants. « Le dieu Mars présida à cette naissance », écrira un chroniqueur du XVIIIe siècle. Presque toute la noblesse libérale avait trouvé la mort pendant la guerre; les hommes qui la remplacèrent furent des marchands et des protestants. L'audace, l'orgueil et la haine attisés par la guerre allaient contribuer à l'essor économique et commercial dont les provinces avaient besoin pour survivre parmi leurs puissants voisins. Faire la grandeur de leur pays devint pour les Hollandais l'objet d'une véritable croisade — et leur fer de lance fut le commerce.

Le commerce n'était pas une nouveauté pour les habitants des Pays-Bas. Dès le XIVe siècle, des navires hollandais transportaient vers l'Europe de l'Ouest et la péninsule Ibérique les céréales et le bois provenant des ports baltes. Au retour, ils avaient pour cargaison les épices et les denrées précieuses rapportées des Indes orientales par les navires portugais. Lorsque Philippe II leur interdit l'accès des ports espagnols et portugais, les vaisseaux hollandais prirent la route de l'Orient pour y négocier directement. En 1597, les trois premiers navires hollandais ayant effectué le voyage des mers du sud revinrent à Amsterdam; sur un équipage de 249 hommes, 80 seulement avaient survécu. Néanmoins, l'année suivante, vingt-deux navires firent voile vers les Indes orientales et, désormais, leur nombre n'allait cesser de croître. En 1600, le premier navire hollandais jeta l'ancre au Japon et les Hollandais furent bientôt les seuls Européens autorisés à y exercer leur négoce. En 1601, Olivier van Noort, ancien pirate et tavernier de Rotterdam, navigua vers l'ouest et, après avoir, par le détroit de Magellan, atteint les Molluques, au sud des Philippines, il contourna l'Afrique pour regagner la Hollande. Il fut le quatrième capitaine à faire le tour du monde, après un Portugais et deux Anglais.

Le commerce bien plus que le désir de colonisation fut à la base de l'expansion hollandaise, qui n'allait pas tarder à aboutir à la constitution d'un vaste empire. Les navigateurs durent élever des comptoirs fortifiés sur les côtes lointaines pour protéger leurs bateaux et leurs marchandises contre les coups de main des indigènes et des autres équipages européens. Ces comptoirs devinrent des citadelles qui, à leur tour, servirent de bases pour de nouvelles conquêtes. En 1605, les Hollandais délogèrent les Portugais des îles Molluques; en 1608, ils édifièrent à Java un comptoir qu'ils nommèrent Batavia et, en 1624, ils fondèrent en Amérique la Nouvelle-Amsterdam. En 1630, ils avaient la haute main sur le commerce de toute la côte nord du Brésil et, autour de 1660, ils prirent Ceylan aux Portugais. Vers le milieu du XVIIe siècle, les marchands hollandais assuraient dans les eaux européennes les trois quarts de l'énorme négoce de céréales de la Baltique et avaient, pour ainsi dire, le monopole du commerce des vins de Bordeaux. L'Espagne elle-même avait un tel besoin des marchandises transportées par les navires hollandais, qu'elle dut leur permettre l'accès des ports espagnols qui leur avait été interdit.

Les vaisseaux hollandais ravitaillaient l'Europe entière et d'énormes profits en résultaient pour les armateurs d'Amsterdam ainsi que pour leurs actionnaires de Hollande et de Zélande. Certains de ces hommes d'affaires avisés possédaient des terres, surtout dans les provinces occidentales, mais c'était le commerce qui leur rapportait les plus gros bénéfices. Le plus modeste marchand prenait une part dans une des nombreuses expéditions maritimes. Les profits les plus substantiels provenaient du commerce des épices, les plus précieux des produits importés d'Extrême-Orient. Le poivre noir, les clous de girofle et la cannelle servaient à conserver et à rendre plus délectables les fades aliments d'une époque qui en était restée au sel et au vinaigre comme seuls moyens de conservation. L'attrait des épices devint aussi puissant que celui de l'or. Aux Indes orientales, à Batavia et à Ceylan, les marchands hollandais, espagnols, portugais et même anglais s'affrontèrent dans une lutte sans merci pour s'assurer la possession des richesses locales; ils s'entretuaient et massacraient tous ceux qui leur faisaient obstacle. Plutôt que de voir baisser les prix ou laisser un concurrent s'implanter, ils rasaient et brûlaient les plantations, déportant des villages entiers et réduisant les populations locales à l'esclavage.

Toutes ces exactions restaient dans un cadre strictement commercial:

en 1644, par exemple, le Conseil d'administration de la Compagnie hollandaise des Indes orientales déclara que les possessions de la Compagnie en Extrême-Orient n'étaient pas des conquêtes, mais des propriétés privées appartenant à des marchands libres d'en disposer à leur guise, de les vendre à qui bon leur semblait, fût-ce au roi d'Espagne lui-même. Cette politique assurait aux actionnaires d'énormes dividendes. En 1599, une expédition rapporta un bénéfice de 400 % et, à partir de 1630, des dividendes de 30 % et plus devinrent monnaie courante pour les actionnaires de la Compagnie des Indes. (A l'autre bout du monde, dans les Indes occidentales, les Hollandais réalisaient aussi parfois des gains faciles : lorsque l'amiral Piet Hein captura en 1628 les galions espagnols chargés d'une cargaison d'argent que l'on peut évaluer à 250 millions de francs actuels, la Compagnie des Indes occidentales versa à ses actionnaires un dividende de 75 %.)

Plus tard dans le courant du XVIIe siècle, le thé devint un des produits tropicaux les plus recherchés. Le docteur Tulp, celui-là même que Rembrandt devait immortaliser dans sa *Leçon d'anatomie,* fut à l'origine de cette grande vogue du thé; il allait, dit-on, jusqu'à en ordonner 50 tasses par jour à ses patients et le prescrivait pour toutes les maladies. Un de ses collègues rédigea, aux frais de la compagnie, un petit opuscule prônant les vertus curatives du thé : c'est sans doute la première en date des formules publicitaires du genre « Le docteur Untel vous recommande... ».

Un autre article recherché en provenance de l'Extrême-Orient était la porcelaine. Dans la première moitié du XVIIe siècle, les Hollandais importèrent et déversèrent sur l'Europe plus de trois millions d'objets en porcelaine de Chine. L'engouement pour la porcelaine fut à l'origine de la célèbre industrie des faïences bleues de Delft, toujours florissante. Dès 1700, les potiers de Delft étaient si habiles qu'ils exportaient au Japon des articles où se mêlaient les motifs hollandais et japonais.

Stimulée par l'afflux des marchands et des banquiers qui fuyaient les provinces méridionales des Pays-Bas occupées par les Espagnols, Amsterdam était devenu autour de 1620 le port et le centre commercial le plus actif de l'Europe du Nord. Cette estampe contemporaine — une allégorie de Claes Jansz. Visscher — représente la Vierge d'Amsterdam trônant au milieu des richesses symboliques rassemblées sur les rives de la rivière IJ : les chameaux, les éléphants et les singes représentent l'Inde et l'Arabie, les joyaux et les porcelaines figurent la Chine et les Indiens évoquent l'Amérique. A droite, des pêcheurs offrent les produits d'exportation les plus précieux de la Hollande, tandis que flottent sur la rivière les navires de la Compagnie hollandaise des Indes orientales.

Les Hollandais se gardèrent bien de revendre tous les précieux articles qu'ils rapportaient d'Extrême-Orient : une grande quantité d'entre eux demeurèrent aux Pays-Bas, comme en témoignent les tableaux de l'époque. Le tabac, importé des Indes occidentales depuis le début du XVIe siècle, était déjà aussi populaire que de nos jours et les tavernes sordides où les hommes se réunissaient pour fumer inspirèrent plus d'un peintre de genre — Adriaen Brouwer et Adriaen van Ostade, pour ne citer que ceux-là. Les artistes du temps se plaisaient à reproduire fidèlement sur leurs toiles des objets exotiques pour donner une note de luxe cosmopolite aux intérieurs de ces marchands qui avaient souvent risqué des fortunes pour les acquérir. Les étoffes de soie et de satin, les bois précieux, les tapis d'Orient (qui servaient indifféremment de tentures, de dessus de table ou de carpettes) voisinaient avec les porcelaines. Ils constituent un des éléments du décor dans des centaines de scènes d'intérieur et plus particulièrement dans l'œuvre de Jan Vermeer.

La plupart de ces marchandises étaient entrées en Hollande par le port d'Amsterdam, alors en plein essor. Sa Chambre de Commerce, créée en 1585, après la prise par les Espagnols de la place commerciale d'Anvers, jouissait d'une grande prospérité et occupait l'un des plus beaux immeubles de la ville. La Banque de Commerce d'Amsterdam, fondée en 1609, mit au point un système de crédit fixe à taux stable pour les transactions et instaura un système efficace de comptes en banque. Dès 1650, Amsterdam était le nœud vital non seulement du réseau commercial hollandais, mais encore du marché financier européen.

De nombreux éléments contribuèrent à l'essor soudain de la Hollande. A la ferveur patriotique née de la guerre, s'ajouta la ferveur qu'inspirait la religion nouvelle. Plusieurs historiens ont vu une étroite corrélation entre l'avènement du protestantisme et la croissance du capitalisme. Bien que les grands marchands hollandais ne fussent pas les plus zélés des calvinistes (« Ils préfèrent le profit à la piété », disait d'eux l'austère protestant qu'était Olivier Cromwell), leur religion nouvelle, qui prônait le labeur assidu, l'économie, la sobriété et mettait l'accent sur les mérites du travail et des œuvres, convenait parfaitement à leur caractère et facilita l'éclosion d'un climat psychologique propice à l'instauration d'une économie capitaliste. Un autre facteur vital du remarquable essor de la Hollande était sa position au seuil même du continent, qui faisait d'elle la porte ouverte de l'Europe sur la mer.

Enfin, la prospérité de la Hollande à cette époque s'explique en partie par la faiblesse de ses voisins. Ceux-ci, surpris et agacés par cette prospérité spectaculaire, se consolaient en se disant qu'elle ne saurait durer. A la vérité, ces pays sans littoral, aux économies désuètes, restaient entravées par un régime d'exploitation féodal et un système financier périmé. Les Hollandais n'instaurèrent pas seulement des méthodes commerciales efficaces, ils furent parmi les premiers à comprendre les grandes lois du capitalisme moderne en matière de crédit, d'intérêts et d'investissements.

Les hommes qui profitèrent le plus de ces techniques et devinrent à tous égards les piliers de la société hollandaise furent les grands marchands des principales cités hollandaises. Financiers habiles, ils dominaient en outre les puissants conseils municipaux qui jouaient le rôle de gouvernements locaux, ainsi que les États-Généraux qui se réunissaient à La Haye pour discuter des affaires politiques d'importance nationale. Depuis le Moyen âge, les conseils municipaux étaient formés des citoyens « les plus sages et les plus riches » : le commerce étant devenu l'élément vital du pays, « les plus sages et les plus riches » des citoyens étaient de toute évidence les marchands les plus prospères. La Hollande fut ainsi gouvernée pendant tout le XVIIe siècle par une grande bourgeoisie marchande, une oligarchie des affaires qui comptait environ 10 000 familles.

Ces marchands prospères mirent autant de discernement à servir l'art de leur pays qu'à diriger sa politique et son économie. Le petit bourgeois enrichi depuis peu était sans doute plus porté vers les affaires que vers l'art mais il était souvent conscient des vieilles traditions artistiques des Pays-Bas. De goûts simples, il aimait néanmoins s'entourer d'objets que son aisance lui permettait de s'offrir. Les tableaux représentaient pour lui un investissement idéal : non seulement ils étaient décoratifs et contribuaient à lui donner une image flatteuse de lui-même, celle d'un bourgeois aisé, mais encore ils étaient transportables et assez facilement négociables, qualité essentielle pour des hommes qui prenaient des risques financiers et dont les revenus étaient sujets à fluctuations.

Protestant convaincu, le Hollandais moyen répugnait à l'art sacré. Ses églises elles-mêmes, sobres, blanchies à la chaux, avaient pour seul ornement un jeu d'orgues. Bourgeois ayant les pieds sur terre, il ne répugnait pas moins aux architectures grandioses et aux décors compliqués chers à la noblesse des pays voisins. Ce qu'il aimait, c'étaient les scènes de la vie quotidienne et plus encore un portrait de lui-même dans sa nouvelle dignité de citoyen libre, entouré de ses enfants, de ses collègues, ou participant aux bonnes œuvres de quelque société de bienfaisance. Il était fier de sa demeure et de son mode de vie et il lui semblait logique de décorer l'une avec les images de l'autre.

Les artistes, ne pouvant plus compter que sur les faveurs de ces mécènes bourgeois, mirent à les satisfaire plus de talent et d'esprit d'invention encore que leurs modèles n'avaient dépensé de vigueur et d'imagination à acquérir leur fortune. Ce qui nous a valu non seulement la fresque vivante d'une nation et d'une époque, mais encore un chapitre éclatant de l'histoire de l'art.

Les témoignages que nous a laissés cette floraison artistique, de même que les écrits contemporains, nous donnent une vision claire de la vie quotidienne de ces bourgeois partageant leur vie entre la guerre, le commerce et la spéculation. A partir de 1600, il ne reste que peu de traces de l'ancien mode de vie de la classe noble. La nouvelle société républicaine s'est détachée de ses chefs temporels et spirituels. La Maison d'Orange maintient à La Haye une petite cour qui s'enorgueillit d'une élégante coterie de gentilshommes amateurs de duels et parlant le français, mais ce sont les marchands qui donnent le ton. Parmi eux, les différences de classes sont peu apparentes et leurs habitations reflètent la simplicité de leurs goûts. Pour de multiples raisons, l'ostentation n'est guère de mise — ils sont protestants et émergent à peine de l'austérité du temps de guerre, leurs entreprises commerciales sont par essence hasardeuses — et leur demeure personnelle avec tout ce qu'elle contient n'est qu'un investissement dont il faut pouvoir disposer à tout moment.

Aussi le mobilier d'une maison de classe moyenne n'a guère changé depuis le Moyen âge : quelques tables, des bahuts, une armoire à linge, des lits clos en alcôve, un bureau. Le manteau de cheminée de la pièce d'apparat peut être décoré, ses murs peuvent être lambrissés, toutes les autres pièces n'en restent pas moins blanchies à la chaux.

Par-dessus tout règne la propreté. Les voyageurs venant d'Angleterre, de France et d'Italie, après avoir constaté l'abondance des vivres et l'absence de mendiants, s'extasient devant la netteté impeccable des intérieurs. « Les Hollandaises se targuent à un point incroyable de la tenue de leur maison et de leur mobilier; on dirait, rapporte un Français, qu'elles n'arrêtent jamais de laver et de frotter leurs meubles et leurs garnitures ». Un autre visiteur renchérit : « Elles préfèreraient mourir de faim au milieu de leurs chaudrons rutilants et de leur vaisselle étincelante plutôt que de préparer des mets qui risqueraient d'en déranger la parfaite ordonnance » — cette observation paraît moins excessive qu'il ne semblerait, quand on voit les cuisines immaculées si souvent représentées sur les toiles des peintres hollandais du XVIIe siècle.

Par la suite, la prospérité aidant, des objets usuels luxueux, témoins des richesses accumulées, font leur apparition dans les tableaux. Peu à peu, la décoration intérieure se fait plus raffinée, les murs se couvrent de tapisseries et de cuirs repoussés. Puis, apparaissent les satins, les tapis, les porcelaines; le chêne est remplacé par les essences précieuses des îles; des tables à thé, des mosaïques, des marbres, des bronzes et des cristaux taillés sont importés pour embellir les demeures les plus fastueuses.

Malgré ce goût tout nouveau pour les objets de luxe, la vie quotidienne conserve le plus souvent son air de simplicité. La bière reste la boisson usuelle, la demeure d'un commerçant aisé compte bien moins de chambres de domestiques qu'une maison d'égale importance de France ou d'Angleterre. Les plus riches bourgeois se contentent d'un valet et de deux servantes pour les travaux ménagers. S'il est classique dans tous les pays que la classe moyenne reste la gardienne fidèle des vertus essentielles de la famille et du foyer, la Hollande se distingue par un trait capital : c'est la classe moyenne qui impose ici son mode de vie au pays tout entier.

Hormis l'argent et l'art, la grande préoccupation des Hollandais était l'éducation. Au début du XVIe siècle, Érasme estimait déjà considérable le nombre des gens cultivés aux Pays-Bas et, vers le milieu du XVIe siècle, un émissaire portugais à La Haye rapportait non sans exagération qu'il n'y avait « pas un savetier dans ce pays qui n'ajoutât à la connaissance de sa propre langue celle du français et du latin. » Vers le milieu du XVIIe siècle, les Pays-Bas pouvaient s'enorgueillir de posséder cinq universités d'une telle réputation que plus de la moitié de leurs étudiants venaient de l'étranger.

Ce haut degré de culture devait entraîner l'essor de l'édition hollandaise. Le livre le plus populaire était la Bible dans une nouvelle traduction officielle; venaient ensuite les œuvres de Jacob Cats, dont les homélies et les poèmes moraux se trouvaient dans presque tous les foyers : vers 1665, une édition illustrée des ouvrages de Jacob Cats se vendit à plus de 50 000 exemplaires. Les livres relatant les voyages et les expéditions en terres lointaines atteignirent eux aussi des tirages surprenants. En outre, l'absence de censure en Hollande, à Leyde en particulier, en fit un lieu d'élection pour la publication de nombreux ouvrages écrits par des réfugiés venus d'Angleterre, de France et d'Espagne.

Le Miroir du navigateur, du cartographe Lucas Wagenaer, publié en 1584, comprenait deux volumes d'instructions nautiques et de cartes qui furent immédiatement traduits et contrefaits dans tous les pays d'Europe. (Les capitaines anglais de la vieille école appellent encore ces livres des « Waggoners ».) Dès lors, et pendant près d'un siècle, jusqu'à la mort de Johan Blaeu, fils du cartographe et imprimeur Willem Blaeu, la Hollande occupa la première place en Europe pour l'impression des cartes. Même chez les terriens, la mode se répandit de décorer les habitations d'admirables cartes historiées, comme on peut en voir dans de nombreux tableaux du temps tels que *le Cavalier et la jeune fille riant* ou *le Peintre dans son atelier* de Vermeer *(pages 136 et 164)*.

L'art du XVIIe siècle qui se voulait le miroir fidèle de son époque en a ignoré cependant quelques aspects moins flatteurs, à commencer par la pauvreté. La prospérité des classes moyennes hollandaises ne s'étendait pas à tous; elle était loin de profiter aux classes populaires autant que le laisseraient supposer les rues propres et les intérieurs bien tenus qui figurent en si grand nombre dans les toiles contemporaines. Le pénitencier, l'asile, le taudis, le travail des enfants étaient pourtant d'évidentes réalités. Un laboureur travaillait quatorze heures par jour pour quelques liards, un matelot, qui n'avait qu'une chance sur deux de revenir d'une expédition aux Indes lointaines, recevait un salaire de deux ou trois florins par semaine, soit une cinquantaine de francs d'aujourd'hui. Bien que le niveau de la vie de la Hollande pût soutenir avantageusement la comparaison avec celui des pays voisins, des recherches récentes ont prouvé que, pour presque la moitié de la population, l'Age d'or fut loin de mériter son nom.

Les peintres ont également ignoré les événements qui avaient eu le plus d'influence sur leur jeune nation : la guerre. Durant des dizaines d'années, la Hollande avait soutenu une lutte sanglante ; pourtant, mis à part quelques scènes de sièges et de combats navals, on n'en trouve presque aucune trace dans la peinture contemporaine. Certes, les soldats figurent en grand nombre dans les tableaux hollandais du XVIIe siècle, mais ils n'apparaissent qu'à l'occasion de scènes joyeuses, comme si les habitants des Pays-Bas avaient eu trop à souffrir des horreurs de la guerre pour en supporter encore les images.

Même après l'arrêt des hostilités, le XVIIe siècle demeura une époque d'instabilité économique traversée de nombreuses crises politiques; or, presque rien de cette agitation n'apparaît non plus dans les toiles des artistes contemporains. La plupart des tableaux reflètent une atmosphère de quiétude qui idéalise sans doute l'aspiration profonde des Hollandais à une sécurité qu'ils n'avaient en somme jamais connue. Malgré l'assurance que reflètent leurs portraits, les riches marchands hollandais devaient connaître des moments d'anxiété lorsqu'ils s'interrogeaient sur les causes de leur fortune soudaine et sur ses chances de durée.

Cette prospérité allait, en effet, être de courte durée : elle recélait déjà les germes de son déclin. Les pays voisins, envieux, recoururent à la force pour s'approprier une partie de ces richesses. Les Anglais disputèrent la suprématie des mers aux navigateurs hollandais et les troupes françaises envahirent la majeure partie des provinces septentrionales. En un siècle où allaient se fonder les impérialismes, la Hollande ne fut plus de taille à assurer sa prédominance. Les marchands perdirent de leur audace, la prospérité engendra l'indolence, la piété fit place au pharisaïsme, une longue période de stagnation s'ensuivit qui devait entraîner un affadissement de l'art.

Toutefois, ces tendances ne se manifesteront pas avant la fin du XVIIe siècle. La plus grande partie de celui-ci reste marqué par les hommes qui avaient conquis leur liberté les armes à la main, hommes durs et sobres, aimant le risque, dévôts, orgueilleux et vains — ceux-là mêmes qui nous toisent du haut des portraits pour lesquels ils ont posé avec une si évidente fierté.

De la guerre à l'opulence

La sérénité de l'art de Vermeer apparaît d'autant plus remarquable si l'on songe aux bouleversements qui l'entourent. La Hollande est d'abord en proie à une spéculation financière ruineuse qui a pour principal objet la tulipe — bien que la guerre de Quatre-vingts ans dure encore. Au cours de sa brève existence, Vermeer allait voir ensuite sa ville natale dévastée par une explosion tragique, son propre commerce d'œuvres d'art ruiné par la crise économique et son pays ravagé par deux nouvelles guerres. Mais sa peinture elle-même semble nous rappeler que cette tranquillité n'était qu'un havre étroit confiné aux murs des quelques pièces où il travaillait. Et sa sérénité paraît avoir été moins le fruit d'une contemplation paisible que d'une intense concentration. Vermeer n'a pas déployé moins d'efforts pour explorer le monde visible et son principal élément constituant, la lumière, que son compatriote de Delft, le pionnier de la microscopie Anton van Leeuwenhoek, pour explorer ce qui avait été jusqu'alors un monde invisible.

En même temps qu'ils brisaient les chaînes de l'oppression espagnole, les Hollandais avaient appris, semble-t-il, à ouvrir grands les yeux sur le monde. Si l'on voulait caractériser l'époque où vécut Vermeer, on pourrait la définir comme une époque vouée à l'observation. L'œil a été son organe privilégié, les lentilles d'optique ses instruments préférés et l'anatomie de l'univers sa recherche de prédilection. Cette époque si adonnée à l'observation eut également le souci de représenter visuellement le monde extérieur et, de tous ses chroniqueurs, les Hollandais furent les plus grands.

Rejetées dans les dunes par la marée montante, les armées hollandaises et espagnoles se heurtent dans une mêlée d'hommes, de chevaux et d'armes, tandis qu'au large les bâtiments des deux flottes échangent des coups de canon. La bataille de Nieuport, livrée et gagnée par les Hollandais le 2 juillet 1600, marque l'aube de l'Age d'or de la culture hollandaise.

Pauwels van Hilligaert : *La Bataille de Nieuport*

Cornelis Vroom : *La Bataille de la mer de Haarlem,* 1629

Dans les décennies précédant immédiatement la naissance de Vermeer, les Hollandais ont abondamment commémoré par l'image les événements qui avaient si longtemps éprouvé leur courage. Haarlem fut un des piliers de leur résistance au cours de la guerre de Quatre-vingts ans qui les opposa à l'Espagne, et c'est le long siège enduré par cette ville qui fait le thème du tableau ci-dessus et de la gravure ci-contre. Attaquée de terre et de mer par les Espagnols, la cité réussit à tenir sept mois à l'abri de ses remparts. « Voici comment les Espagnols pressent le peuple de Haarlem », indique la légende inscrite au bas de la gravure. On distingue au premier plan le camp ennemi d'où part un flot de cavaliers et de soldats; à droite, le long des dunes, on aperçoit d'autres troupes. La plupart des tours de la ville sont déjà abattues; des navires en mer participent à la bataille.

Les Espagnols avaient semé leur route de ruines, avant d'atteindre Haarlem. Ils avaient commencé par piller Malines, puis enlevé d'assaut Zutphen, massacré presque tous ses habitants et conquis ensuite Oudenarde. Quand ils entrèrent dans Haarlem, ils prirent 300 de ses défenseurs, les lièrent les uns aux autres et les jetèrent à la mer. Pourtant jusque dans la défaite, abreuvés « de pestilence et d'atrocités », les habitants restèrent inébranlables. « Vous avez brisé l'armée espagnole sous vos murailles et assuré le salut de la patrie entière ! » proclame la légende qui célèbre la victoire morale remportée par Haarlem.

Willem Akersloot : *Le Siège de Haarlem,* v. 1628

RIJKSMUSEUM, AMSTERDAM

RIJKSMUSEUM, AMSTERDAM

Bartholomeus van der Helst : *Le Banquet de la garde civique du 18 juin 1648, pour fêter la conclusion de la paix de Munster,* 1648

La spéculation se déchaîna et, comme le montre la gravure ci-dessous, de nombreux Hollandais, tentés par la promesse de profits fabuleux, firent des investissements insensés. Trônant sur un chariot à voile dénommé « le Char des fous », Flore est entourée d'une cohorte de bons à rien tels que Vain Espoir et Vif au Gain. Derrière elle, se presse une escorte de dupes qui, dans leur hâte de monter à bord du char, foulent aux pieds leurs propres moyens de subsistance. Quand le marché des tulipes s'effondra, ce qui fut le cas en 1637, toute l'économie hollandaise fut ébranlée.

COLLECTION Mr. TH. HOOG, HAARLEM

Princesse, 1643

Vice-Roi, 1643

Paysage de Béring et *La Vène*, 1643

Semper Augustus, 1643

Amiral van der Eyck, 1643

Jérôme pourpre et blanche, 1643

COLLECTION Mr. TH. HOOG, D'APRÈS UN CATALOGUE DE TULIPES PAR JUDITH LEYSTER

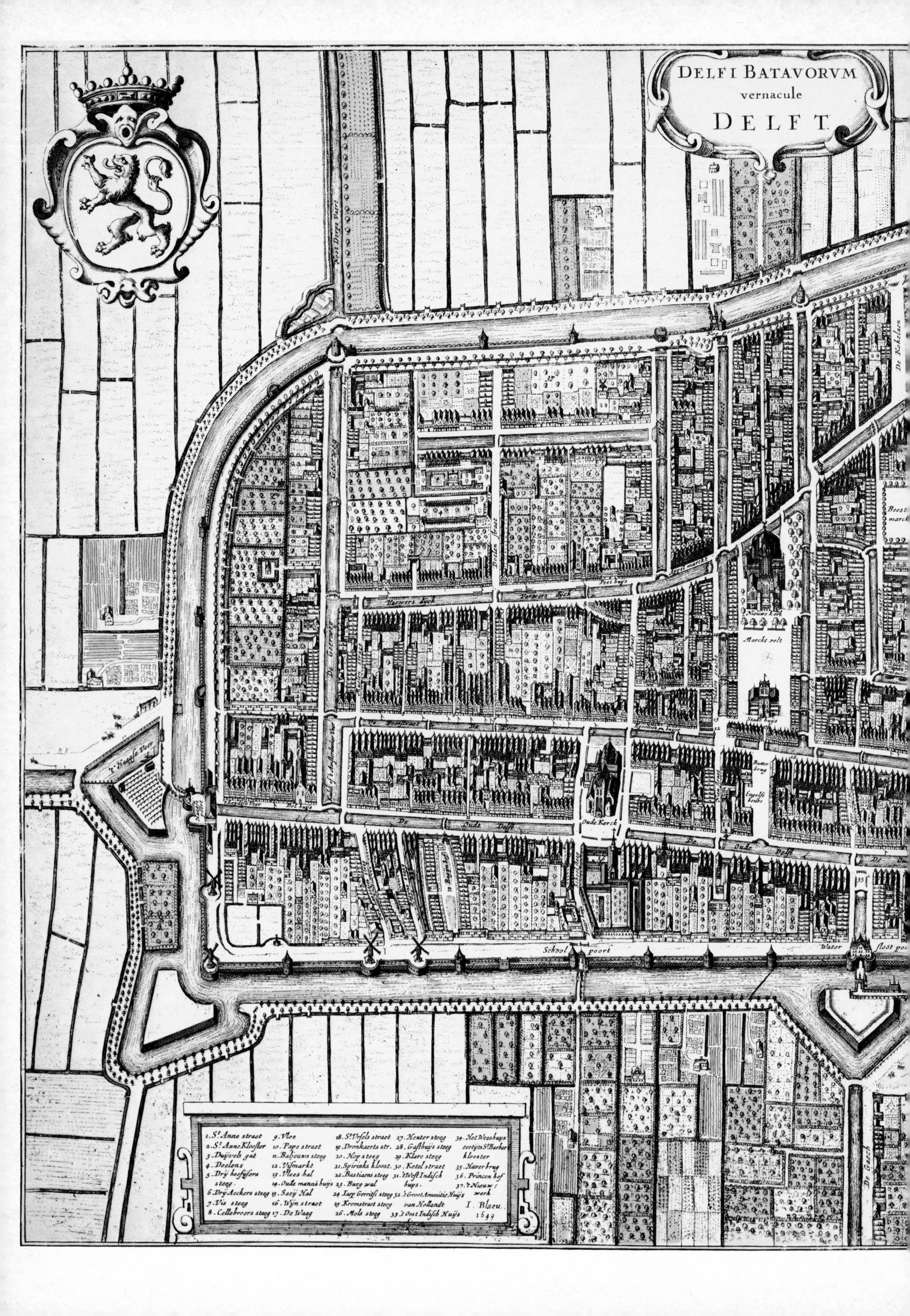
DELFI BATAVORUM
vernacule
DELFT.
1. St. Anne straet
2. St. Anne Klooster
3. Duijvels gat
4. Doelens
5. Drÿ hoefÿsers steeg.
6 Drÿ Aeckers steeg
7. Vis steeg
8. Cellebroers steeg
9. Vloe
10. Pape straet
11. Baljouws steeg
12. Vismarkt
13. Vlees-hal
14. Oude mannā huijs
15. Saeÿ Hal
16. Wÿn straet
17. De Waag
18. St. Vrsels straet
19. Dronkaerts str.
20. Hop steeg
21. Spirinks kloost.
22. Bastiaens steeg
23. Burg wal
24 Iacq Gerritsz steeg
25 Kromstraet steeg
26. Mols steeg
27. Heuter steeg
28. Gasthuijs steeg
29. Klare steeg
30. Ketel straet
31. 't West Indisch huys.
32. 't Groot Amunitie Huijs van Hollandt
33. 't Oost Indisch Huijs
34. Het Weeshuys eertÿts St. Barbar klooster
35. Haver brug
36. Princen hof
37. 't Nieuw werk
I. Blaeu
1649
Varwers Sÿck
De Oude Delft
Oude Kerck
Nieuwe Kerck
Marckt velt
School poort
Water sloot poort
Beest marckt
Dol huys
De Voorstraet

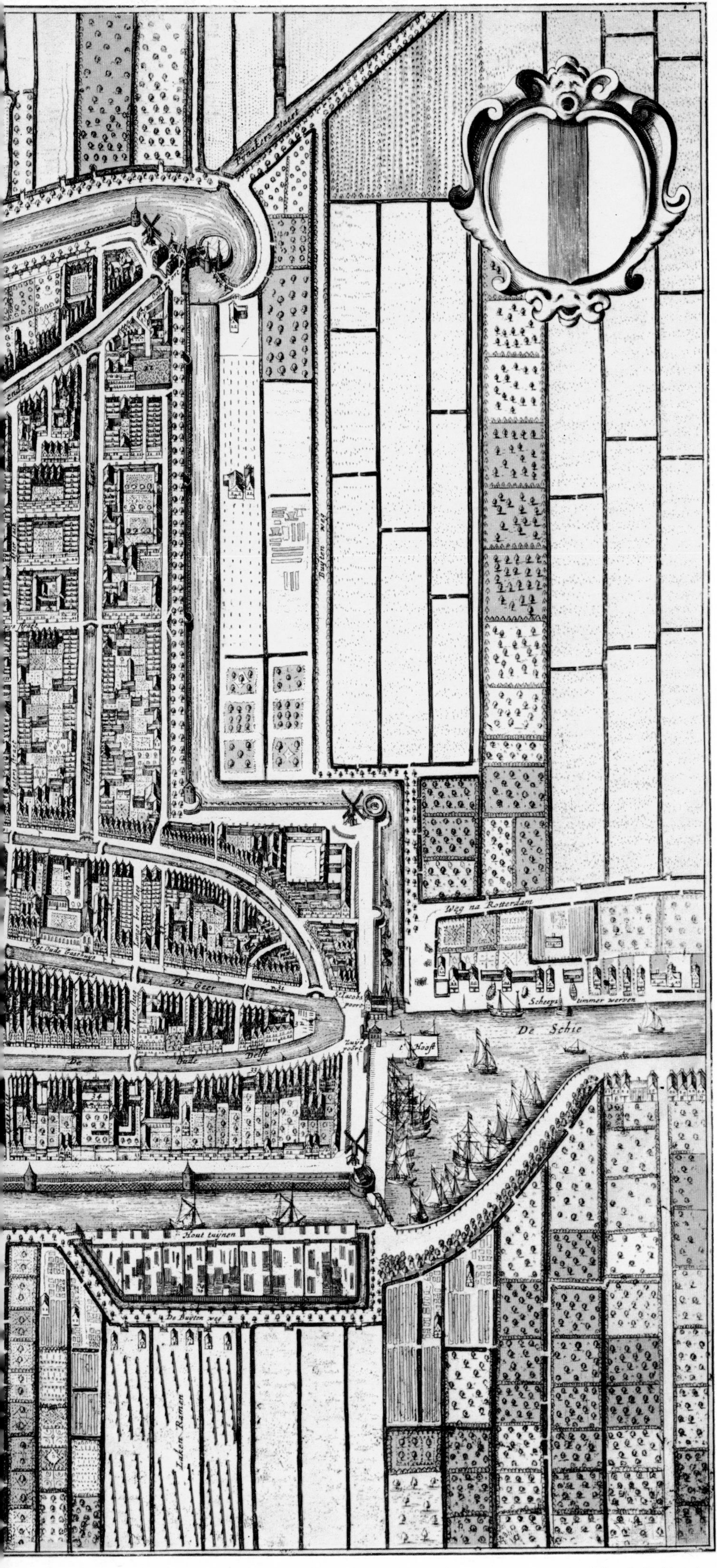

Willem Blaeu : *Plan de Delft*, 1649

Les cartes gravées telles que ce plan de Delft, la ville natale de Vermeer, œuvre du grand cartographe Willem Blaeu, ont joui d'une grande vogue en Hollande au XVIIe siècle. Une des raisons de leur popularité était certainement la minutie de leurs détails. On peut reconnaître ici de nombreux sites qui ont une relation avec Vermeer, à commencer par sa maison, qui se dressait en plein cœur de la ville sur la place du marché, à gauche de l'église et juste au-dessous de la rangée d'arbres.

Delft ne différait guère par son aspect des autres villes hollandaises d'importance comparable, entourées comme elle de remparts et sillonnées de canaux; mais, le 12 octobre 1654, à 10 h 30 du matin, un drame se produisit qui allait lui donner une place à part dans l'esprit des contemporains. La poudrière, située dans le coin supérieur gauche de la ville, bourrée d'explosifs accumulés à l'époque de la guerre contre l'Espagne, sauta en projetant au loin « des familles entières... et même des rues avec leurs habitants ». Quand la fumée et les gaz se furent dissipés et que la poussière fut retombée, une étendue d'eau profonde de cinq mètres marquait l'emplacement de la poudrière. Des arbres avaient été fauchés à ras du sol, plus de 200 maisons étaient détruites, 30 autres avaient perdu leurs toits et leurs fenêtres. Parmi les foyers les moins éprouvés, nombreux furent ceux qui eurent « leur mobilier gâché et toute leur vaisselle brisée ». Le souffle fut tel qu'il fit ployer les murs puissants de la Nouvelle Église, à l'angle opposé de la maison de Vermeer, Mechelen.

Manufacture de faïence de Bolsward, en Frise, 1737

Théière de Delft, v. 1680-1692

Une des principales industries de Delft était la production des faïences, qu'on appela des Delft. Les ateliers de céramistes produisaient de tout, depuis des imitations raffinées de porcelaines de Chine, jusqu'aux humbles carreaux de céramique partout présents. La vue de la faïencerie reproduite ci-contre est elle-même constituée de carreaux de céramique, au nombre de 154 : elle illustre la manière dont les poteries étaient fabriquées. Au niveau inférieur, des manœuvres accumulent l'argile, tandis que des chevaux font tourner les moulins où sont broyés les pigments et minéraux qui donneront les vernis; dans une pièce voisine, des artistes décorent les pièces avant cuisson. Au second niveau, d'autres artisans tournent des plats sur des tours de potiers; et, au niveau supérieur, des ouvriers découpent des carreaux dans des plaques d'argile.

L'importation entre 1602 et 1657 de millions de pièces de porcelaine de Chine entraîna les manufactures locales à en copier les motifs, puis à inventer des décors qui s'en inspiraient. Un critique a été jusqu'à soutenir que le fini et la perfection émaillée des tableaux de Vermeer, ses harmonies délicates et rares de couleurs et même son goût de l'ornementation subtile, pourraient refléter l'influence des maîtres potiers de Delft.

Vase de Delft, 1691

THE METROPOLITAN MUSEUM OF ART, DON DE THORNTON WILSON EN SOUVENIR DE FLORENCE ELLSWORTH WILSON, 1950

Si un tableau pouvait à lui seul incarner et magnifier toute une époque, ce serait le cas de la fameuse *Vue de Delft* de Vermeer. Elle ne nous restitue pas seulement l'aspect exact d'une ville hollandaise du XVIIe siècle; elle a aussi capté et fixé un moment dans l'écoulement du temps, ce qui lui permet de transmettre à la postérité une relique vivante de son siècle, avec ses nuages qui voguent lentement au-dessus des têtes et ce rayon de soleil qui scintille sur les crêtes des toits de tuiles.

Dans la précision de ses détails, la *Vue de Delft* nous livre un autre témoignage encore : elle reflète le souci qu'a eu le XVIIe siècle hollandais de la réalité d'un univers extérieur visible et intelligible. Un coup de lumière traverse le tableau, comme si une averse soudaine venait de purifier l'air et de laisser des gouttes de pluie briller dans les fentes et les crevasses des façades de briques. La lumière qui tombe du ciel immense est vraiment de la lumière, et typiquement hollandaise dans son caractère liquide. Mais on peut y voir aussi une manifestation supplémentaire de ce que Descartes eût appelé « la lumière naturelle de l'esprit », car cette lumière, c'est après tout Vermeer, artiste méditatif s'il en fut, qui l'a créée par sa peinture.

GALERIE ROYALE DE PEINTURE, « MAURITSHUIS », LA HAYE

Vue de Delft

RIJKSMUSEUM, AMSTERDAM

III

L'Homme de Delft

Delft a été la troisième ville des Pays-Bas à obtenir une charte communale — en 1246 — et s'est maintenu pendant plusieurs siècles au premier plan de l'histoire hollandaise. Centre de la résistance et quartier général de Guillaume d'Orange durant la guerre d'Indépendance contre l'Espagne, Delft a d'autre part donné le jour à quelques-unes des plus hautes figures de la jeune nation : les amiraux Piet Hein et Marten Harpertzoon Tromp, le prince Frédéric Henri, fils du Taciturne et grand chef de guerre, Hugo Grotius, le juriste et homme d'État qui posa les principes du droit international, le savant Anton van Leeuwenhoek, l'un des pionniers de la microscopie. Quand la Hollande commença à devenir florissante, à la fin du XVIe siècle, Delft partagea sa prospérité nouvelle.

Puis, dans la seconde moitié du XVIIe siècle (vers l'époque des débuts de Vermeer), tandis qu'Amsterdam et Rotterdam favorisés par leurs excellents ports attiraient une part de plus en plus importante du commerce des Provinces, son activité se ralentit; son industrie célèbre de la faïence resta florissante mais les autres entreprises périclitèrent. Le nombre des brasseries tomba de 100 à 15. Delft devint une cité de retraités et la forteresse du calvinisme conservateur. Peu à peu, la ville jadis pleine de vitalité s'abandonna à un déclin qui la laissa dans une espèce de léthargie jusqu'au XIXe siècle.

Le seul côté positif de cette décadence est que le cœur du Delft d'aujourd'hui ressemble beaucoup à ce qu'il était du temps de Vermeer. En effet, quand la ville prit un nouvel essor à l'époque moderne, ses habitants avaient appris à aimer et à sauvegarder l'héritage architectural du passé. Ainsi Delft possède encore quelques hectares de maisons, d'églises, de canaux et de places qui nous replongent directement dans l'univers de Vermeer. Le plan de Delft publié en 1648 par le cartographe Willem Blaeu — si détaillé qu'on peut y reconnaître la maison même de Vermeer — reste assez exact pour servir de guide aux promeneurs d'aujourd'hui *(pages 50-51)*.

Le centre du vieux Delft est le marché (qui est représenté par un rectangle blanc au milieu du tracé de Blaeu). La place du marché n'est pas très grande, mais elle produit un effet saisissant, car elle constitue le seul espace dégagé et ornemental parmi l'entassement des maisons moyenâgeuses. Le vieux Delft, qui comptait environ 23 000 habitants en

Voici le spectacle qu'avait Vermeer de la fenêtre arrière de sa maison. L'image qu'il nous en a laissée montre bien son acuité d'observation. Les trois femmes l'allée, les maisons, les briques sont rendues avec une précision étourdissante, tandis que le fini du détail laisse une puissante impression de réalité.

La Ruelle

1630, ne comprend en réalité que trois ou quatre véritables rues; le reste est fait d'allées et de canaux. Les canaux étaient les artères de Delft, car c'est par eux que circulaient tant les marchandises que les visiteurs; en fait, les voies d'eau ont été pour la Hollande le moyen de communication le plus régulier et le plus sûr jusque fort avant dans le XIXe siècle. Marcel Proust, après une visite à Delft, a décrit un de ces canaux : « Un petit canal ingénu... ébloui par la lumière pâle du soleil; il courait entre une double rangée d'arbres que l'été finissant dépouillait de leurs feuilles et qui caressaient de leurs branches les fenêtres miroitantes des maisons tassées sur ses deux rives. »

Aujourd'hui, ces canaux étroits, aux ponts voûtés, connaissent la quiétude, mais ils servent encore à ravitailler le marché aux fleurs, le marché aux beurres et aux fromages et le marché aux poissons, tous trois situés le long d'une voie d'eau. Ils sont presque droits; cependant, leurs courbes si légères suffisent à nuancer de variations surprenantes la lumière qui filtre dans l'intervalle étroit des maisons et se reflète dans les vitres et dans l'eau, toute tamisée par le feuillage des arbres.

La lumière de Delft ! Que de pages lui ont été consacrées ainsi qu'à ses secrets réels ou imaginaires ! Le grand poète et dramaturge Paul Claudel l'appelait « la plus jolie lumière de la Hollande ». Considérée objectivement, il n'y a pas de raison pour que la lumière de Delft soit différente de la lumière de La Haye ou de Rotterdam. Mais la vieille cité est si paisible, même aujourd'hui — les lourds feuillages, l'eau sombre et les antiques murs de briques l'enveloppent d'une telle beauté — que sa lumière maintes fois reflétée et filtrée nous paraît différente lorsqu'elle atteint notre œil : elle semble avoir une qualité particulière de fluidité et de douceur.

Peut-être n'est-ce pas seulement Delft, ni seulement les arbres ou les canaux qui font son charme, mais aussi Vermeer lui-même. De même que Stratford-on-Avon peut éveiller chez ses visiteurs une émotion qui n'a rien à voir avec l'aspect de ses rues, ainsi la lumière de la ville de Vermeer emprunte-t-elle à son œuvre une résonance magique.

C'est ici qu'il naquit à l'automne de l'année 1632. Son nom apparaît pour la première fois sur les registres des fonts baptismaux de la Nouvelle Église qui se dresse sur le côté est de la place du marché. On y relève à la date du 31 octobre la mention du baptême de l'enfant Joannès, fils de Reynier Janszoon et de Dingnum Balthasar. Cette époque était moins précise que la nôtre en matière d'état-civil. C'est seulement par comparaison avec d'autres documents que nous comprenons que Reynier Janszoon — c'est-à-dire Reynier, fils de Jan — était le père de Vermeer et que Dymphna (et non Dingnum), fille de Balthasar, était sa mère. Le nom de famille de Reynier était en réalité Vos, et c'est seulement quand le jeune Vermeer eut une vingtaine d'années que son père commença à prendre la dénomination de « Reynier Jansz. Vos, alias Vermeer » (ou, occasionnellement, van der Meer), et à signer de ce nom. Les raisons de ce changement nous sont inconnues. Le prénom de l'enfant Joannès s'écrit aussi Johannès; c'est l'équivalent du français Jean et les Hollandais en tirent couramment la forme abrégée de Jan ou quelquefois Hans.

Reynier Janszoon et sa femme étaient mariés depuis dix-sept ans quand naquit Joannès, leur second enfant. Ils n'eurent que quelques pas à faire pour le baptême, car leur propre maison qui s'appelait « Mechelen » (Maline) donnait sur le côté nord de la même place du marché où se dressait l'église. Mechelen était une entreprise active, Reynier y tenait une taverne; il dessinait et il vendait aussi de la *caffa,* sorte d'indienne peinte. Cette dernière activité était devenue sa principale source de revenus à l'époque de la naissance de Jan. Mais Reynier était aussi négociant en œuvres d'art et, en 1631, un an avant la naissance de Jan, la Guilde de St. Luc l'avait enregistré comme maître négociant en œuvres d'art, formalité capitale dans une société où toute profession ayant trait aux arts était soumise à une réglementation corporative très stricte.

Vingt ans s'écoulent avant que le nom de Jan Vermeer soit mentionné pour la seconde fois. Le 5 avril 1653, le registre des mariages de l'hôtel de ville fait état du mariage de « Johannès Vermeer, fils de Reynier, célibataire, place du marché, avec Catharina Bolnes, célibataire, du même lieu ». Vermeer vécut avec sa jeune femme chez ses parents à Mechelen et presque toute leur vie conjugale s'y écoula, jusqu'en 1672, année où ils s'installèrent dans une maison plus petite. Aucun témoignage écrit sur la jeunesse de Vermeer ne nous est parvenu; on sait que sa femme était d'une famille aisée qui résidait près de Gouda et qu'elle avait un an de plus que lui. Moins d'un an après son mariage, le 29 décembre 1653, Jan Vermeer fut agréé maître peintre dans la Guilde de St. Luc. C'était un événement majeur dans la vie d'un artiste, et l'on peut en déduire qu'il avait dû travailler comme apprenti chez un peintre depuis les environs de 1647, c'est-à-dire depuis l'âge de quinze ans, puisque six ou sept années étaient alors exigées pour l'admission à la maîtrise.

La Bibliothèque royale de La Haye possède encore le registre de la Guilde correspondant à cette époque. C'est un livre mince et long sous couverture de parchemin. Les événements dont il fait état vont jusqu'à 1714 et il donne, en plus des peintres, la liste des sculpteurs, libraires, potiers, négociants d'art, tailleurs de pierre, lissiers et peintres sur verre de Delft, tous membres de la Guilde de St. Luc. On ne peut considérer sans émotion la page où est enregistré le nom de Vermeer et où l'on peut lire que, sur les six florins de taxe d'inscription requis d'un citoyen de Delft, un florin et demi seulement a été payé au moment de son admission. En marge de la même page du livre de la Guilde figurent ces mots : « Le 24 juillet 1656, tout a été réglé ».

Ainsi, deux ans et demi s'écoulèrent avant que Vermeer acquittât le reliquat de sa dette de quatre florins et demi, ce qui peut donner une idée de la situation financière du jeune couple. (Il est difficile d'apprécier la valeur du florin par rapport aux monnaies d'aujourd'hui. Son pouvoir d'achat était probablement l'équivalent de vingt francs. Ainsi la taxe d'admission de six florins payée par Vermeer pouvait correspondre à cent vingt francs.) Vermeer aida son père dans le trafic des œuvres d'art, mais leur association ne dura pas longtemps. Le père Vermeer mourut en 1655. Sa veuve continua à vivre avec le jeune couple; c'est vers cette époque que dut naître le premier des onze enfants qui virent le jour à Mechelen en l'espace de vingt ans.

Des érudits se sont livrés à des recherches approfondies pour préciser les convictions religieuses de Vermeer et sont arrivés à la conclusion qu'il pouvait avoir été catholique. Ses parents ne l'étaient probablement pas, encore que son baptême à la Nouvelle Église protestante ne puisse passer pour une preuve certaine : le catholicisme ne jouissait pas d'une pleine tolérance en Hollande et les services religieux catholiques n'étaient célébrés qu'en privé. Au surplus, comme il n'y avait pas d'église romaine, beaucoup de catholiques étaient ensevelis dans les cimetières des églises protestantes. La femme de Vermeer, Catharina, était d'une famille catholique, et il est probable qu'il accepta que leurs enfants fussent élevés dans cette religion.

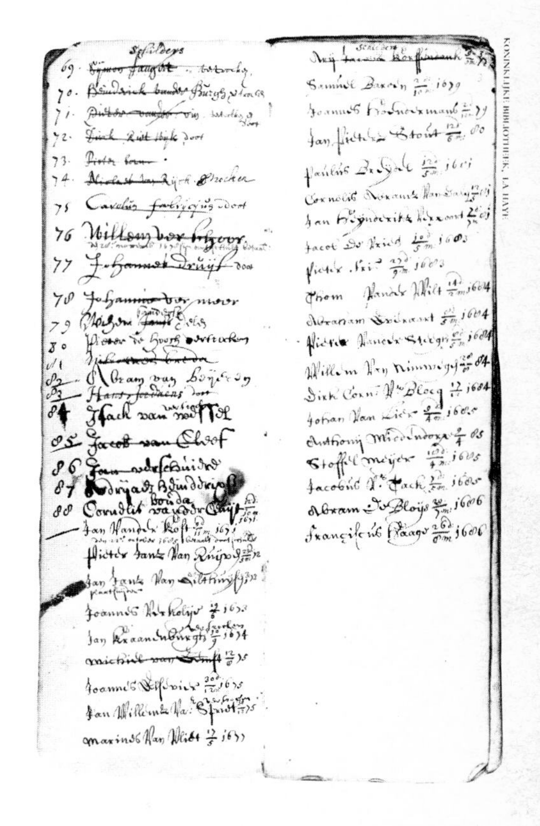

Parmi les rares documents relatifs à la ville de Vermeer figure le registre de la Guilde de St. Luc, la corporation des peintres. On peut voir sur la page ci-dessus la signature de Vermeer en face du numéro 78; elle a été partiellement biffée, probablement à sa mort, en 1675. Carel Fabritius, qu'on suppose avoir été le maître de Vermeer, a signé à hauteur du 75 et le mot *doot* (décédé) a été ajouté après son nom. On relève au numéro 80 la signature de Pieter de Hooch, un de leurs contemporains les plus appréciés.

Si Vermeer devint un catholique convaincu, ce fait a pu contribuer à une certaine tendance au mysticisme que l'on découvre dans son œuvre — mais l'argument peut se retourner aisément, et l'on peut aussi bien imaginer que c'est sa tendance au mysticisme qui pourrait expliquer ses sympathies pour le catholicisme. Quel que soit le poids de ces arguments, il paraît clair que Vermeer, à en juger par ses tableaux, n'était pas un esprit dogmatique, ni un obsédé de théologie. Les recherches d'archives destinées à préciser son appartenance religieuse peuvent donner lieu à d'interminables travaux, elles ne nous feront pas pénétrer bien avant dans la compréhension de l'artiste.

Nous ne savons rien de l'apprentissage de Vermeer, nous ignorons quel fut son maître et nous ne possédons presque aucun témoignage sur la réputation dont il jouissait à Delft. Ses débuts furent toutefois remarqués. C'est ce que paraît attester le seul document contemporain qui le mentionne en termes élogieux. Il date de 1654, l'année qui suivit son mariage et durant laquelle Delft fut secouée par une terrible catastrophe : la poudrière contenant 80 à 90 000 livres de poudre sauta « avec une force et une violence si horribles », déclare un récit contemporain, « que la voûte du ciel parut éclater et s'effondrer ». On entendit l'explosion jusqu'à « la mer du Nord et dans certaines provinces étrangères à la Hollande ». Elle fit des centaines de victimes et causa des dommages considérables à la moitié au moins des édifices de la ville, y compris la vaste Nouvelle Église qui se dressait vis-à-vis de Mechelen.

Une des victimes du « Coup de tonnerre » de Delft fut le peintre Carel Fabritius, qui fut enseveli sous les ruines de sa maison avec sa famille et un homme dont il faisait le portrait. Ce drame inspira à un éditeur de Delft un poème dont le dernier vers pleure la mort du brillant Fabritius, mais mentionne aussi Vermeer :

Ainsi ce phénix s'est éteint,
Pour notre deuil, à l'apogée de sa puissance,
Mais heureusement a surgi de ses cendres
Vermeer, qui a suivi ses pas avec maîtrise.

On a été tenté de déduire de ces lignes que Vermeer était l'élève de Fabritius. Il existe incontestablement une parenté entre leurs œuvres — ainsi leur manière de traiter la lumière et leurs fonds de couleurs claires indiquent une forte influence de l'aîné sur son cadet; néanmoins, nous n'avons aucune preuve tangible que Vermeer ait suivi l'enseignement de Fabritius.

Si nous ne pouvons découvrir le maître de Vermeer durant ses années d'apprentissage, nous pouvons nous faire une idée des influences esthétiques et des traditions artistiques qui ont dû agir sur lui durant les années où son talent prit forme.

La Vieille Église de Delft, seul monument important qui ait survécu à la guerre et aux manifestations antipapistes, avait primitivement des vitraux gothiques (ils furent soufflés par l'explosion de la poudrière); elle possédait aussi une chaire à motifs de bois sculptés du XVIe siècle d'une exécution admirable. Des monuments nouveaux avaient été érigés aussi bien dans la Nouvelle que dans l'Ancienne Église, les tombeaux d'hommes illustres tels que l'amiral Piet Hein et le prince Guillaume d'Orange, par Hendrick de Keyser, mais ils étaient exécutés dans un style baroque pompeux qui dut laisser Vermeer aussi froid que le marbre dont ils étaient faits.

L'hôtel de ville, achevé vers 1620, était un joyau de l'architecture de la Renaissance dans le style de l'Europe du Nord (les transformations qui y ont été apportées au XIXe siècle ont considérablement gâté ses lignes). Le Gemeenlandshuis, résidence privée qui existe encore, était, même du temps de Vermeer, le plus beau spécimen subsistant de l'architecture gothique du début du XVIe siècle.

A l'intérieur de l'hôtel de ville, les murs étaient recouverts de tapisseries sur environ les deux tiers de leur hauteur. Elles provenaient d'ateliers des Pays-Bas et des Flandres et étaient d'une qualité artistique qui a pu faire l'admiration du jeune Vermeer. Il trouva sans doute moins d'intérêt à la suite des portraits de Guillaume d'Orange et de ses successeurs par Michiel van Miereveld. Bien que van Miereveld fût le chef de file de ce qui subsistait dans les Provinces-Unies de l'art traditionnel des cours, on ne voit rien dans les tableaux de Vermeer qui puisse rattacher son inspiration à ce peintre.

On peut penser en revanche qu'il a été influencé par les tableaux qui passaient entre les mains de son père dans l'exercice de son commerce d'œuvres d'art et par les œuvres qu'il a pu contempler dans les ateliers des artistes de Delft. Nous avons vu comment les peintres hollandais s'étaient écartés des courants dominants de l'art catholique européen : leur vocation était le réalisme. Mais de telles ruptures dans l'histoire de l'art ne sont jamais totales. Le grand prestige de l'Italie se perpétuait et des artistes hollandais avaient gardé le contact avec cette source vive de l'art occidental.

Le Caravage et son style — que les historiens de l'art ont baptisé « caravagisme » — contribuèrent à combler le fossé. Le Caravage, de son nom véritable Michelangelo Meresi, était un jeune peintre italien à la nature rebelle qui, dès la fin du XVIe siècle, avait introduit une nouvelle forme de réalisme dans l'art italien; le mouvement ainsi lancé se propagea et son influence se fit sentir sur deux générations au moins de peintres flamands, espagnols, français et hollandais.

En rompant avec l'idéalisation de la forme et du sujet si courante dans la peinture de la fin de la Renaissance, le caravagisme inaugura une manière nouvelle de regarder le monde et de le représenter. Un peintre

MUNICIPALITÉ DE DELFT

C'est le désastre de Delft en 1654, causé par l'explosion accidentelle de 80 000 livres de poudre à canon dans l'arsenal municipal, que fait revivre ce tableau d'Egbert van der Poel. Carel Fabritius trouva la mort dans la catastrophe. La maison de Vermeer, voisine de la Nouvelle Église dont on aperçoit ici la flèche à gauche de l'image, fut probablement endommagée.

peut maintenant reproduire ce qu'il voyait autour de lui, quitte à conserver les thèmes religieux et mythologiques traditionnels, mais en les coulant dans le moule de la vie quotidienne. Marie-Madeleine, par exemple, fut représentée comme une simple servante et non plus comme une beauté idéalisée. Le Caravage avait aussi été le premier peintre de sa génération à expérimenter des éclairages dramatiques avec des contrastes hardis d'ombre et de lumière pour mettre ses sujets en relief — procédé qui devait trouver son expression la plus accomplie dans la peinture de l'Age d'or hollandais.

Beaucoup de peintres hollandais allèrent en Italie à cette époque pour y étudier et ils trouvèrent le néo-réalisme du Caravage en accord profond avec leurs propres traditions; son œuvre influença puissamment les leurs. De retour en Hollande, la plupart d'entre eux s'installèrent à Utrecht, ville restée en grande partie catholique et qui gardait avec Rome des liens étroits. L'école d'Utrecht prospéra, les tableaux italianisants sortis de ses ateliers eurent du succès, ils occupèrent une large place dans les réserves des marchands d'œuvres d'art. Beaucoup des toiles achetées et vendues par les Vermeer père et fils étaient sans aucun doute des produits de l'école d'Utrecht. L'œuvre de Vermeer prouve qu'il les a observées, qu'il en a tiré les leçons, puisqu'il a poursuivi son chemin sur la voie du réalisme.

A Delft même vivaient un bon nombre d'artistes dont l'œuvre a dû influencer son évolution. Léonard Bramer était allé étudier en Italie; à son retour de Rome, il s'installa à Delft en 1629 et, bien que de quarante ans plus âgé que Vermeer, devint son ami. Sa signature apparaît en qualité de témoin sur l'acte de mariage de Vermeer et il fut membre du conseil de la Guilde avec lui en 1661. Parmi tant d'autres peintres notables qui ont également travaillé à Delft, on peut mentionner Pieter de Hooch, qui y vécut plusieurs années et qui est surtout connu pour ses scènes domestiques, Paulus Porter, jeune paysagiste et peintre animalier plein de vie, Emanuel de Witte, hanté par les problèmes de la perspective et les jeux de lumière à l'intérieur des églises de Delft et, bien entendu, Carel Fabritius, qui avait été l'élève de Rembrandt et dont la carrière aurait pu être une des plus brillantes de son époque si elle n'avait pas été brisée par le « coup de tonnerre » de 1654.

Tous ces hommes étaient membres de la Guilde de St. Luc, et vivaient dans les limites d'une douzaine de pâtés de maisons; ils se sont certainement fort bien connus. Chacun a dû voir les œuvres des autres; ils en ont à coup sûr discuté avec vivacité et peut-être avec passion.

Nous savons peu de choses du contexte artistique de la vie de Vermeer. Une chronique locale nous apprend qu'en 1663 (« Dernière nouvelle », relate le chroniqueur), un carillon de 36 cloches a été installé sur la Nouvelle Église. Il a résonné à travers toute la vie de Vermeer qui pouvait l'entendre de son atelier. Comme beaucoup de peintres de son temps, Vermeer semble avoir porté un grand intérêt à la musique et aux instruments de musique; on peut en juger par ses tableaux. Ces derniers prouvent d'ailleurs sa culture générale et même son érudition : plus encore que la musique, la mythologie, l'astronomie et la géographie ont leur place dans son œuvre.

Les documents d'archives font état d'une seule visite rendue à l'atelier de Vermeer par un amateur. Un gentilhomme français Balthasar de Monconys, venu en 1663 aux Pays-Bas en voyage d'étude et pour y acheter des œuvres d'art, rapporte qu'il est allé voir Vermeer à Mechelen : « A Delft, je vis le peintre Vermeer qui n'avait point de ses ouvrages;

mais nous en vîmes un chez un boulanger qu'on avait payé six cents livres, quoiqu'il n'y eût qu'une figure, que j'aurais cru trop payer de six pistoles. » Six pistoles valaient dix livres : Monconys avait manifestement des critères de valeur différents des nôtres. Il est impossible, au demeurant, d'identifier l'œuvre qu'il tenait en si piètre estime.

Malgré cette réaction peu enthousiaste, Vermeer fut assez estimé par d'autres de ses contemporains pour qu'on le prît pour expert. En 1671, quatre ans avant sa mort, il arbitra un différend entre un négociant en œuvres d'art d'Amsterdam et l'Électeur de Brandebourg. Ce dernier refusait de payer une somme convenue de 30 000 florins pour une collection de toiles de maîtres italiens dont il suspectait l'authenticité. Le marchand garantissait qu'ils étaient authentiques : il porta l'affaire devant la justice. Vermeer et un de ses confrères de Delft furent appelés à La Haye pour faire l'expertise; ils étudièrent les toiles et se prononcèrent de façon catégorique contre le marchand, déclarant que les tableaux « non seulement n'étaient pas d'excellentes œuvres italiennes, mais au contraire ne méritaient pas de porter le nom d'un bon maître ». C'est la seule déclaration faite par Vermeer dans le domaine de l'art dont nous ayons conservé la trace écrite, mais elle révèle un homme de connaissances étendues et de fermes convictions.

Le registre où est signalée l'admission de Vermeer dans la Guilde de St. Luc mentionne encore son nom en deux occasions : en 1662 et de nouveau en 1670, il appartint pour deux années consécutives au conseil de la Guilde. La pratique était d'élire six membres; la première année, trois d'entre eux faisaient fonction d'administrateurs et les trois autres d'assesseurs; ils permutaient l'année suivante. C'est ainsi qu'en 1663 et de nouveau en 1671, Vermeer exerça la fonction de doyen de la Guilde, ce qui prouve qu'il était considéré comme un citoyen sérieux — bien que cette charge comportât plus de tâches ingrates que de prestige.

Ce que l'on peut dire d'autre tient en peu de mots. Les seules données complémentaires relatives à Vermeer consistent en quelques actes notariés qui ont trait à des emprunts — ceux qu'il contracta lui-même ou, occasionnellement, des prêts faits à des amis et dont il fut co-signataire (les Hollandais tenaient des archives méticuleuses de toutes leurs transactions d'argent, ce qui explique que nous en sachions beaucoup plus sur la situation financière de Vermeer que sur sa vie personnelle). En 1655, il emprunta 200 florins; il les remboursa avec intérêt un an plus tard. A peu près à la même époque, il accepta de prendre en charge une dette de 250 florins que son père avait laissée impayée à sa mort. Les documents relatifs à ces quelques transactions nous donnent à penser qu'il menait une vie modeste.

On découvre avec tristesse que sa situation financière se détériora dans ses dernières années. En 1672, il abandonna la taverne, céda Mechelen à un locataire et émigra dans une maison plus petite. Quand il mourut en 1675, il ne lui restait rien. Sa veuve adressa au conseil municipal une pétition sollicitant un règlement de faillite et une aide financière pour élever ses enfants. Si Vermeer ne laissait pas d'argent, il laissait l'œuvre de sa vie — entre 30 et 40 tableaux; ils durent être répartis entre ses différents créanciers, son exécuteur testamentaire et sa veuve qui livra un combat courageux pour rester au moins en possession de certains d'entre eux. Ces œuvres représentent aujourd'hui un trésor inestimable. Elles nous en révèlent largement autant — comme nous allons le voir — sur Vermeer, l'inconnu, que les rares documents d'archives qui éclairent sa vie quotidienne à Delft.

Les maîtres et les inspirateurs de Vermeer

Quand Jan Vermeer signa de son nom *Chez l'entremetteuse (à droite)*, une de ses premières œuvres connues, il avait vingt-quatre ans, venait de se marier et commençait à peine sa carrière. Le peintre devait être encore si proche de ses sources d'inspiration initiales qu'on pourrait s'attendre à y découvrir le secret des influences qui l'ont façonné. Mais, tout comme ses autres œuvres, ce tableau est étrangement peu révélateur : c'est un chef-d'œuvre mineur qu'on croirait jailli tout achevé de son imagination. La seule chose qu'il nous enseigne est que Vermeer était bien, au départ du moins, par le choix de ses thèmes, un homme de son temps : le sujet équivoque qu'il traite était depuis longtemps un des motifs favoris des peintres hollandais.

Quelles influences se sont donc exercées sur Vermeer? Il ne s'est évidemment pas développé dans le vide; il appartenait à la dernière génération des peintres de l'Age d'or et beaucoup des plus parfaites réussites de l'art hollandais sont antérieures. Et, pourtant, sa manière d'aborder le sujet est différente, au point de paraître sans précédent. Quels sont les peintres dont il a contemplé les œuvres, soit en sa qualité de marchand de tableaux, soit comme membre de la guilde des artistes de Delft ? Comment est-il parvenu à cette vision du monde qui n'est qu'à lui, celle d'un espace baigné de lumière et de couleurs ? Obsédés par de telles questions, les historiens de l'art ont regardé d'un œil nouveau les peintres de la lumière du XVIIe siècle; ce faisant, ils ont découvert à la fois quelques sources possibles de l'inspiration de Vermeer, et quelques artistes négligés dont la réputation mérite de briller d'un nouvel éclat.

Si l'on pressent la future maîtrise du jeune Vermeer, il n'est pas encore ici pleinement maître de son art : apparemment, il a eu quelques difficultés à parfaire la perspective de ce tableau. Il semblerait qu'il ait regardé en même temps la table de haut en bas et la jeune fille de bas en haut — ce qui est une impossibilité visuelle. Le personnage qui rit, à gauche de la toile, pourrait être l'artiste.

Chez l'entremetteuse, 1656

GEMÄLDEGALERIE, SCHWERIN

Carel Fabritius : *La Sentinelle*, 1654

THE METROPOLITAN MUSEUM OF ART, NEW YORK, ACQUISITION, 1871

IV

Les pionniers

Jan Vermeer et ses contemporains constituent la dernière génération des peintres hollandais auxquels nous devons la brillante éclosion artistique du XVIIe siècle. Avant eux, toute une série de pionniers avait contribué à développer la maîtrise technique extraordinaire qui a fait la gloire de l'Age d'or.

La première grande figure de la génération des aînés est Frans Hals. Ses parents s'étaient établis à Haarlem en 1591 alors qu'il avait dix ans; c'est là que s'écoula sa vie qui fut longue et prodigieusement active et c'est là qu'il mourut en 1666. Sa première œuvre datée est un portrait de groupe peint en 1616 : *les Arquebusiers de saint Georges,* où l'on voit en train de banqueter les membres fougueux d'une unité de la garde civique. Tout ce qui caractérise le style de sa maturité — sa technique très libre faite de coups de pinceau rapides et sans apprêt — y apparaît déjà avec évidence. Pour Hals, cette technique n'était pas une fin en soi, mais plutôt un moyen de produire une impression de spontanéité sans effort qui allait changer la nature même de la peinture de portrait. (Près de trois cents ans plus tard, Vincent Van Gogh exprimait son admiration pour la manière dont « Hals enlevait ses personnages d'un seul jet. »)

Les sujets de Hals rompent avec la dignité traditionnelle et presque glacée des modèles qui posent devant le peintre; il les saisit en pleine action, dans un geste rapide, un moment de réflexion, l'éclat éphémère d'un rire *(page de gauche)*. Ainsi pénètre-t-il leur personnalité. Les coups de pinceau se juxtaposent, les taches de couleurs différentes voisinent sans transition, il n'y a pas ici trace de dessin — c'est de la peinture à l'état pur. Mais cette absence d'effort n'est qu'apparente, car rien ne serait plus loin de la vérité que d'imaginer Frans Hals jetant un coup d'œil sur son sujet, puis improvisant son tableau sans réflexion préalable. Un examen attentif de son œuvre y révèle un équilibre superbe, une composition étudiée; c'est la virtuosité de Hals qui nous donne l'illusion de la simplicité.

Comme tant d'autres peintres hollandais, Hals reconnut qu'il avait intérêt à se spécialiser. Malgré la souplesse de son talent et la variété de son œuvre, il tira ses revenus les plus substantiels de ses grands portraits de groupes. Neuf d'entre eux nous ont été conservés. On est frappé par le génie avec lequel il a réussi à satisfaire la vanité de ses clients sans rien sacrifier de sa probité d'artiste.

La bouche ouverte sur un rire éraillé, cette servante d'auberge à demi folle, une chouette perchée sur l'épaule, exprime toute la vigueur brutale de l'art de Frans Hals. Non seulement il caractérise son personnage, mais il le fait vivre en quelques coups de brosse rapides.

Frans Hals : *Malle Babbe*, v. 1640

Les plus célèbres sont les deux derniers qu'il ait peints; ils représentent Les Régentes et les Régentes de l'Hospice de Vieillards de Haarlem. Hals avait plus de quatre-vingts ans et il a fait preuve d'une acuité de perception et d'une intelligence hors de pair. Les deux toiles sont presque monochromes; le noir des costumes n'est rehaussé que par la blancheur des fraises de dentelle et la lumière sur les visages; dans le portrait des Régentes, on relève une seule touche de rouge sur les pages d'un livre posé sur la table au premier plan. S'agit-il de la Bible ou du registre des comptes de l'asile ? Le spectateur devine en tout cas que le volume prend en cet endroit une valeur sacrée. Ces hommes et ces femmes âgés et sévères sont représentés avec une telle force de conviction et une telle simplicité, leur solitude s'exprime de façon si mystérieuse que l'on n'a pas de peine à comprendre en les voyant pourquoi Hals mérite sa place parmi les grands maîtres.

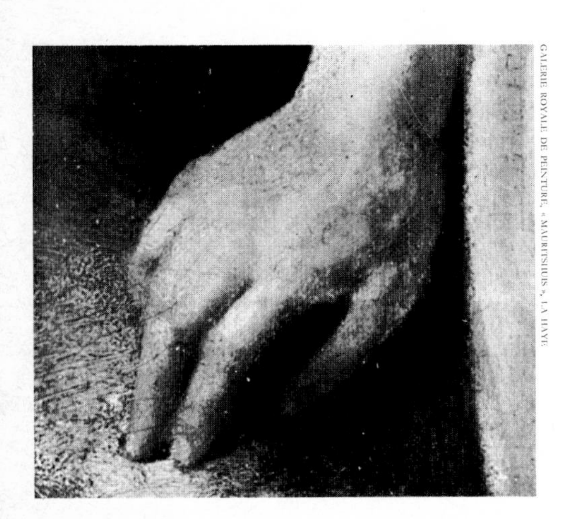

GALERIE ROYALE DE PEINTURE, « MAURITSHUIS », LA HAYE

Quand il peignit ces deux derniers tableaux — et il en fut ainsi jusqu'à sa mort —, Frans Hals vivait de quelques florins par semaine que lui allouaient ces mêmes gouverneurs et dames patronnesses, car cinquante ou soixante ans de labeur ne lui avaient pas assuré de ressources pour sa vieillesse. Il est vrai qu'il avait été toute sa vie à peu près aussi exubérant et indiscipliné que certains des soldats et des cavaliers tapageurs qu'il avait pris pour modèles. Un grand nombre des documents de l'époque relatifs à Frans Hals proviennent des archives de la police de Haarlem et témoignent de son goût inaltérable pour les ripailles et la boisson. Il survécut à ses deux épouses, il eut au moins douze enfants et, bien qu'il fût un artiste apprécié et fort recherché, il ne put jamais éviter de s'endetter. Quand il mourut à plus de quatre-vingt-cinq ans, il était pauvre; on lui fit cependant des funérailles honorables dans une église de Haarlem.

Malgré le piètre état de ses affaires, son génie était resté intact jusqu'à sa fin. Il eut durant cette longue carrière une influence énorme sur les peintres contemporains et sur ses élèves; son œuvre a non seulement éclairé les voies de l'Age d'or hollandais, mais elle a gardé assez de fraîcheur dans son dynamisme pour faire deux cents ans plus tard l'admiration d'une autre équipe de pionniers de l'art, les impressionnistes.

La vigoureuse technique du pinceau inventée par Frans Hals était révolutionnaire. Le détail ci-dessus souligne le style traditionnel, où le modelé de la main est fait de couleurs subtiles étalées avec délicatesse. La main peinte par Frans Hals *(ci-dessous)* est expédiée en quelques coups de brosse hardis à l'aide de couleurs presque pures, technique qui devait être reprise deux siècles et demi plus tard par les impressionnistes.

MUSÉE FRANS HALS, HAARLEM

Tandis que Frans Hals travaillait à Haarlem, un groupe d'artistes frayait une voie nouvelle à Utrecht, importante cité du centre des Pays-Bas. C'étaient les premiers peintres hollandais à avoir subi l'impact de la révolution caravagiste. La plupart d'entre eux avaient étudié la peinture à Rome; ils avaient été très marqués par le néo-réalisme du Caravage, par son souci d'une réalité dramatisée de façon parfois théâtrale au moyen de couleurs hardies, d'éclairages puissants et d'ombres profondes. Ils avaient rapporté ce style en Hollande et l'on pourrait dire qu'ils comptent moins dans l'histoire pour leurs œuvres que pour l'influence qu'ils ont exercée sur d'autres peintres hollandais — parmi lesquels, en dernier lieu, Vermeer.

Gerrit van Honthorst, qui vécut de 1590 à 1656, fut le principal agent de liaison entre le caravagisme et les peintres de Hollande. Bien que Le Caravage fût mort à peu près à l'époque de son arrivée à Rome, les principes du grand maître italien faisaient encore l'objet de débats passionnés et on l'imitait de toutes parts; Honthorst eut tôt fait d'assimiler son message. Il peignit des banquets et des concerts nocturnes en prêtant une stricte attention aux détails réalistes, en utilisant les couleurs mêmes qui avaient caractérisé les œuvres de jeunesse du Caravage et en témoignant d'une véritable fascination pour les effets produits par l'éclairage aux torches ou aux chandelles. Honthorst revint à Utrecht en 1621, et un tableau tel que *l'Entremetteuse* *(page 66)*, qu'il exécuta en 1625, alors qu'il était dans la plénitude de ses moyens, prouve à quel point il avait assimilé les deux traditions de la Hollande et de l'Italie. C'est une scène d'intimité où l'on voit un jeune homme faisant la cour à une jeune fille qui rit, tandis que l'entremetteuse, une vieille commère, la presse. Ce sujet a été souvent repris par des peintres postérieurs à Honthorst et il est typique de la peinture de genre hollandaise, mais Honthorst l'a traité à l'italienne, en lui donnant un cadre théâtral et l'éclairage dramatisé d'une chandelle, dans la tradition directe du Caravage.

Des tableaux comme celui-là et bien d'autres, qui représentent des musiciens joyeux, des enfants ou des soldats, introduisirent sur le marché de l'art hollandais un élément d'élégance associée à des sujets terre à terre et firent du jour au lendemain de Honthorst un peintre à la mode. Homme du monde aimant la vie de société, il devint l'un des favoris du roi Charles Ier d'Angleterre et des princes d'Orange à La Haye; finalement, il renonça à son rôle d'innovateur, mais consolida sa situation financière en se consacrant à l'exécution de peintures décoratives sur les murs et les plafonds des résidences et palais royaux.

Un autre peintre d'Utrecht légèrement plus âgé que Honthorst, mais dont l'influence fut moindre, eut une carrière étroitement parallèle à la sienne : ce fut Hendrick Terbrugghen. Né en 1588, il précéda de quelques années Honthorst à Rome où il passa lui aussi quelque dix ans avant de rentrer dans son pays où il contribua à populariser le caravagisme. Comme Honthorst, Terbrugghen peignit des musiciens, de jeunes fumeurs, des jeunes filles de vertu légère *(page 67)* — et sa matière et ses couleurs sont pleines de richesses. Ces deux artistes et avec eux les autres membres de l'école d'Utrecht ont beaucoup contribué à séculariser l'art, ce qui est une des tendances dominantes de la peinture hollandaise du XVIIe siècle.

Mais Terbrugghen différait par bien des côtés de son cadet plus mondain. Profondément absorbé dans son œuvre, c'était un homme réservé fuyant la popularité que recherchait tant Honthorst; les documents d'archives nous révèlent un seul cas où il aurait peint un tableau sur commande. C'était aussi un artiste plus raffiné que Honthorst. Parvenu à la maturité, il délaissa les couleurs brillantes et parfois violentes de la peinture italienne pour adopter une palette plus subtile, mieux dosée, en même temps que sa manière de traiter le sujet devenait plus humaine et plus introspective. Son métier était tel qu'il est aujourd'hui considéré comme le peintre le plus accompli de l'école d'Utrecht. Même à son époque, bien que moins célèbre qu'Honthorst, il a joui d'une réputation considérable : Rubens admirait tant son œuvre qu'il alla visiter son atelier à Utrecht en 1627.

Un troisième peintre d'Utrecht mérite d'être mentionné ici, moins pour ses mérites jugés aujourd'hui inférieurs à ceux de ses contemporains plus connus, qu'en raison d'un lien mystérieux qui l'attache à Vermeer. Dirck van Baburen était allé à Rome comme bien d'autres peintres d'Utrecht et y avait assimilé les leçons du Caravage. Comme bien d'autres, il peignit plusieurs tableaux sur le thème de *l'Entremetteuse*. Fait curieux, l'un de ces tableaux *(page 67)* apparaît à l'arrière-plan de deux chefs-d'œuvre de Vermeer : la *Dame assise au virginal* et *le Concert (page 156)*. Dans les deux cas, Vermeer a modifié la disposition de l'original pour l'adapter à ses propres fins mais, dans l'un comme dans l'autre, il a sûrement pris pour modèle la même *Entremetteuse* de Baburen.

Nous ne savons pratiquement rien des habitudes de travail de Vermeer ni de ses goûts, et il est tentant de se livrer à des conjectures sur le mobile qui, par deux fois, l'a poussé à choisir ce tableau pour l'incorporer à ses propres œuvres. Se sentait-il des affinités avec Baburen ? Trouvait-il cette *Entremetteuse*, parmi tant d'autres, particulièrement bien venue ? A-t-il possédé cette toile dans l'exercice de sa profession de marchand et a-t-il trouvé commode de l'utiliser ainsi ? A trois siècles de distance, le mot de l'énigme nous échappe : tout au plus peut-on en déduire que Vermeer a dû avoir au moins une admiration professionnelle pour le peintre d'Utrecht.

L'essor de la peinture hollandaise de paysage est à peu près contemporain de l'école d'Utrecht, et la fascination qu'éprouvaient les peintres hollandais devant leur terroir allait se prolonger pendant tout l'Age d'or. Le paysage atteint sa plus parfaite expression chez les contemporains de Vermeer; mais plusieurs paysagistes de la génération précédente font déjà figure de maîtres : ainsi, Hendrick Avercamp, Hercules Seghers, Jan van Goyen et Simon de Vlieger.

Tous quatre ont été des pionniers dans cette branche de la peinture hollandaise qui allait exercer probablement l'influence la plus profonde au-delà des frontières du pays; ils ont été les principaux précurseurs des grands paysagistes anglais et français du XIXe siècle. Ils ont aussi fait le pont avec les maîtres du passé flamand — les van Eyck, les Brueghel, les Bosch — qui, malgré des sujets souvent allégoriques, ont maintes fois emprunté avec amour le détail de leurs tableaux aux paysages des Pays-Bas.

Cette campagne hollandaise est singulièrement frappante. Elle sollicite presque le peintre, bien qu'on n'y trouve aucun de ces éléments dramatiques que peuvent constituer des montagnes ou une exubérance tropicale. Le pays n'a presque aucune verticale; il est remarquablement plat; l'horizon est partout présent — au point que la langue hollandaise a quatre mots pour le désigner. Le vent balaie ces terres basses. Les ciels changeants, avec leurs nuages accumulés qui se reflètent dans les rivières et les canaux, sont plus dramatiques que la terre. La distance ne se traduit pas seulement par un effet de perspective, mais aussi par un flou vaporeux et une plus grande douceur des couleurs éloignées. Rarement les contours sont-ils tranchés; averses et éclaircies alternent souvent tout au long du jour. La nature elle-même paraît aussi incertaine, aussi subjective que l'homme.

Dans leurs efforts pour capter l'essence de ce spectacle toujours changeant, les nouveaux paysagistes ont peint des tableaux bien différents de tout ce que l'on avait pu voir avant eux. La nature y est représentée pour elle-même plutôt que comme le cadre d'entreprises divines ou humaines, ou comme le décor artificiel de quelque allusion littéraire. L'élément anecdotique, encore manifeste dans les premières œuvres de cette période, disparaît ensuite complètement. Ces artistes peignent, pour ainsi dire, les portraits des arbres, des rivières et des dunes. Ce faisant, ils ont appris à communiquer leur émotion sans recourir à des procédés ou des symboles, mais en la suggérant par une multitude de moyens subtils, à travers la composition, les couleurs et les tons. Leurs œuvres sont le miroir de la nature, mais finalement elles nous livrent aussi un miroir d'eux-mêmes.

Hendrick Avercamp, né à Amsterdam vers 1585, a aimé par-dessus tout peindre son pays l'hiver. Il s'est enchanté à la vue des champs glacés jusqu'à l'infini, dans une lumière grise où tranche une tache unique de couleur, comme celle d'un drapeau sur une chaumière; au spectacle des paysans et des citadins se livrant à leur passe-temps hivernal favori, le patinage (*page 94*). Dans ses premières toiles, les horizons sont élevés, les premiers plans sont remplis de personnages aux couleurs vives; les images de la vie quotidienne, le goût de l'anecdote et du détail rappellent avec force Bruegel l'Ancien, avec cette différence que la vision de Bruegel se pare souvent d'une ombre surnaturelle teintée de gravité, tandis que celle d'Avercamp est plus gaie.

En prenant de l'âge, Avercamp a évolué dans le sens de la monochromie. L'atmosphère du paysage, sa tonalité d'ensemble prennent le pas sur les taches isolées de couleurs. En même temps, il abaisse les horizons et fait du ciel dramatique de la Hollande, où flottent des nuages blancs et noirs, un élément vital de ses tableaux.

Un autre paysagiste contemporain, Hercules Seghers, évolua dans une direction bien différente. On sait qu'il travailla quelque temps dans le même atelier qu'Avercamp à Amsterdam au début des années 1600 et qu'il devint ensuite membre de la Guilde de St. Luc à Haarlem. En dehors de cela,on connaît peu de choses de sa vie. C'était un homme sombre, mélancolique, qui vécut dans la solitude et dont l'œuvre ne fut appréciée de son temps par presque personne, si ce n'est par Rembrandt. Rembrandt paraît avoir été sensible à une sorte de parenté qui le liait à Seghers. Il possédait huit tableaux de lui, et il y a sans aucun doute certaines analogies entre les thèmes chromatiques des deux artistes qui ont fait tous deux un fréquent usage des gris-vert et des brun-rouge, contrastant avec une lumière chaude et dorée.

Seghers a poussé la subjectivisation de la nature à l'extrême, ce qui le situe bien au-delà de la plupart des paysagistes hollandais : tournant le dos aux scènes réelles qui l'entouraient, il a peint des paysages qui n'existaient que dans son esprit troublé. Dans beaucoup de ses tableaux, de même que dans ses eaux-fortes en couleurs, admirables mais rares, des rocs s'élèvent à droite ou à gauche, couverts d'arbres épars. Au centre, rien ne retient l'œil : seule s'étend une étendue qui, baignée d'une lumière mystérieuse et muette, paraît incarner toute la solitude du monde.

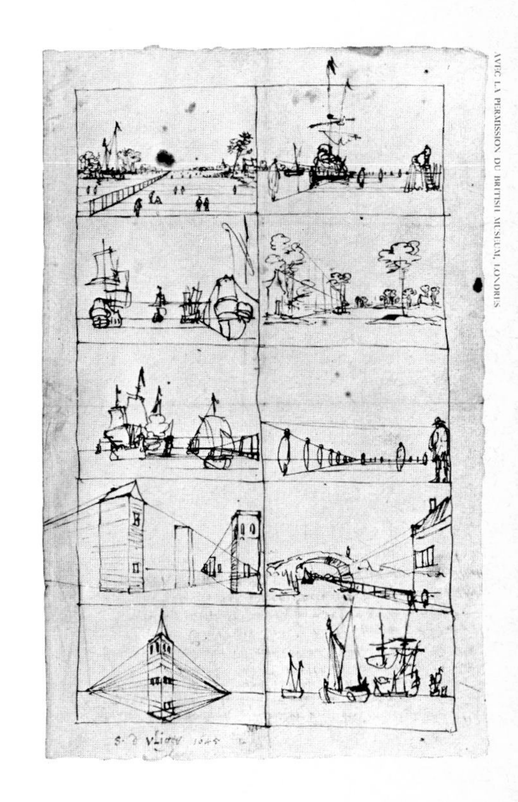

Les feuilles d'étude du peintre de marines Simon de Vlieger montrent comment il procédait pour évaluer les proportions décroissantes des objets dans le lointain. Les peintres de plein air hollandais, qui n'avaient d'autre spectacle qu'un pays invariablement plat, se heurtaient à une double difficulté : réaliser des perspectives saisissantes de vérité et concevoir des sujets dignes d'intérêt.

Jan van Goyen, confrère de Seghers à la Guilde de St. Luc de Haarlem et son cadet de quelques années, exprime beaucoup mieux que lui les tendances majeures des paysagistes hollandais. Il est intéressant de le comparer aux deux paysagistes français les plus marquants de l'époque, Nicolas Poussin et Claude Lorrain. Dans leurs toiles d'une exécution impeccable, Poussin et Lorrain créent un état d'âme par le choix même du sujet : des ruines sombres, l'image bucolique d'un jeune homme jouant de la flûte, des bergers en tunique déchiffrant une inscription sur un tombeau dans un cadre idyllique et pittoresque. La conception même du « pittoresque » est née avec leurs œuvres et la noblesse fortunée de France et d'Angleterre commença à modeler ses jardins selon les mises en scène déjà romantiques des deux peintres français.

Combien différente est l'inspiration de van Goyen ! Quand il arrive à maturité, vers 1640, van Goyen a renoncé dans ses tableaux à toute anecdote, à toute association à un symbole évident. Ses couleurs sont simples, le jaune et le gris-vert y dominent; ses paysages ne sont pas moins simples : des cabanes dans les dunes, une ville au loin sous un ciel d'orage, une plage ou une vue de la mer.

Ces paysages tranquilles sont souvent construits autour d'une rivière, d'une dune, ou d'une digue qui traverse le tableau d'une diagonale vigoureuse, séparant la terre brumeuse d'un vaste ciel plein de nuages lents (*pages 114-115*). Van Goyen use largement de la « perspective aérienne » : il diminue progressivement l'intensité des couleurs du ciel et de la terre pour donner l'illusion d'une grande distance; en fait, certaines de ses œuvres paraissent à première vue presque dépourvues de couleurs. Avec cette extrême discrétion de moyens, il sait suggérer l'émotion, la mélancolie, d'une façon qui pour être subtile et indirecte n'en est pas moins éloquente.

Bien entendu, la Hollande n'est pas faite seulement de terre et de ciel, la mer est aussi partout présente, à la fois source de richesse et menace constante pour un pays ceinturé de digues — amie bénéfique et implacable ennemie. Pour les Hollandais, la mer a toujours fait partie de leur vie et les paysagistes hollandais ont eux-mêmes longtemps éprouvé ce sentiment.

Le premier des nombreux artistes du XVIIe siècle qui se sont attachés à représenter la mer avec ses humeurs et ses caprices est Simon de Vlieger. Né en 1601, Vlieger est l'exemple du peintre qui s'est imposé une spécialisation extrême; bien que son talent ait pu se prêter à divers genres — il a laissé quelques excellentes eaux-fortes d'animaux et de scènes de forêts —, il est avant tout connu pour ses scènes de plages, ses batailles navales et ses tempêtes.

Les marines de l'école hollandaise, de Vlieger jusqu'à la fin du siècle, contiennent presque toujours au moins un navire — comme s'il eût été inconcevable qu'il pût y avoir une étendue d'eau salée où ne flottât pas un vaisseau hollandais. En peignant ses navires, Vlieger a prêté une telle attention aux détails que les experts utilisent encore ses toiles pour étudier les gréements et l'armement utilisés à cette grande époque de la navigation hollandaise et anglaise.

L'amour de la vie et la truculence transparaissent dans l'œuvre d'Adriaen Brouwer. Son tableau *les Fumeurs (ci-dessus)* évoque les facéties de sa jeunesse. Il s'y est représenté lui-même *(au centre)* au moment où un joyeux farceur s'apprête à lui jouer un tour sous le regard amusé de son élégant ami Jan Davidsz. de Heem et de deux gaillards à la mine patibulaire.

Si les paysagistes ont été fascinés par la campagne et par la mer, les peintres de genre se sont intéressés à leurs contemporains. On se souviendra que la peinture venait seulement de rompre avec la tradition d'un art destiné jusqu'alors à inspirer au spectateur des sentiments de vénération religieuse. Le passage de cet art d'inspiration religieuse à l'art des cours — voué à la plus grande gloire d'un souverain — était relativement aisé, mais le passage de la peinture de genre à la représentation de la vie quotidienne était plus difficile.

Les artistes hollandais du début du XVIIe siècle avaient encore hésité à peindre des images sans apprêts de la vie quotidienne — une femme occupée à coudre, ou plus simplement une pièce, une ruelle ou un canal. Ils avaient l'impression qu'un tableau exigeait un thème plus substantiel, et ils y introduisaient souvent une anecdote ou une allégorie cachée : une servante endormie dénonçait subtilement la paresse; des paysans se battant au couteau dans une taverne témoignaient indirectement des méfaits de la boisson. Ce faisant, ils ont su rester dans le bon goût et sont rarement tombés dans la sentimentalité de certaines œuvres de genre du XVIIIe et du XIXe siècle. Bientôt, les meilleurs d'entre eux découvrirent que l'anecdote n'était réellement pas nécessaire à leur œuvre. La beauté devait se trouver partout; c'était, en fait, le tableau qui comptait et non pas le sujet.

Adriaen Brouwer est l'un des tempéraments les plus originaux de la première génération des peintres de genre. Il était né dans le Sud des Pays-Bas en 1605, et mourut couvert de dettes à Anvers à l'âge de trente-deux ans. Il travailla à Haarlem où il subit l'influence de Frans Hals mais, pendant presque toute sa brève existence, il fut un errant, un esprit libre et exubérant dont l'individualisme intrépide fit de lui le héros d'aventures légendaires. Il passe pour avoir été capturé par des pirates ; il fut un moment emprisonné en 1633 par des soldats espagnols pour des raisons inconnues; on pense qu'il servit d'agent secret entre la république des Pays-Bas et les gouverneurs espagnols des provinces du sud qui résidaient à Anvers.

En tant qu'artiste, Brouwer se rapproche de l'image conventionnelle du peintre moderne, toujours sans argent et souvent en marge de la société. Il se plaît à peindre non pas la vie domestique paisible des bourgeois, mais la promiscuité brutale des humbles tavernes de campagne et des tanières poussiéreuses où des paysans s'adonnent à « l'ivresse du tabac », en fumant des pipes d'un tabac additionné d'une drogue (sans doute du chanvre cultivé localement) qui produit un effet narcotique *(page 92)*.

Ses tableaux âpres, exécutés avec une grande attention du détail, nous livrent une image presque caricaturale des personnages populaires; il semble s'appliquer à souligner leurs plaisirs grossiers et leurs attitudes répugnantes. Les scènes, traitées dans la gamme des gris clair et des bruns et en clair-obscur, sont rehaussées par des touches magistrales d'un coloris subtil. Les tableaux de Brouwer sont généralement de petites dimensions — beaucoup d'entre eux sont plus petits que le format de ce livre —, mais ils ont produit sur ses contemporains un effet puissant et nous y sommes encore sensibles aujourd'hui.

Un de ses contemporains fut Adriaen van Ostade qui passa toute sa vie à Haarlem où il devint en 1633 membre de la Guilde à l'âge de vingt-trois ans. Son œuvre est pleine de tavernes et de masures paysannes dont les intérieurs sombres sont traités en gris, vert, bleu pâle et pourpre, avec une lumière qui tombe généralement d'une source invisible. On y voit des hommes et des femmes buvant et fumant tandis que joue souvent un violoneux *(pages 90-91)*: l'ensemble est proche de la manière de Brouwer, mais avec moins d'insistance sur les laideurs et la brutalité de la vie.

Gérard Dou, qui vécut de 1616 à 1675, se distingue de Brouwer et d'Ostade par le choix de ses sujets. Avec Dou (qui fut le premier élève de Rembrandt à Leyde, de 1628 à 1631), la peinture de genre atteint un raffinement presque microscopique.

Gérard Dou peint des scènes aimables de la vie domestique des classes moyennes plutôt que le charivari des milieux populaires. Dans ses tableaux de petites dimensions, il semble s'être servi du pinceau le plus fin. Toute trace de peinture disparaît; nous sommes loin des coups de brosse exubérants de Frans Hals et de la véhémence de Brouwer. Comme pour tenter l'impossible, Dou aime peindre la source même de sa lumière, la flamme d'une chandelle ou d'une lanterne. La couleur est presque transparente; le rendu méticuleux de chaque surface — étoffe, verre, métal ou visage de jeune fille — est impeccable dans sa reproduction scrupuleuse du détail. L'art de refléter la nature touche à la perfection et, à la différence de beaucoup de ses confrères, cette maîtrise valut à Dou une grande popularité et une existence cossue. Chemin faisant, il lui arrive cependant d'être si soucieux du fini de ses œuvres que la flamme de l'inspiration s'y éteint.

Mais, avec la génération suivante des peintres de genre, cette flamme allait briller plus vive que jamais. La peinture de genre devint moins tumultueuse et plus subtile, moins mécanique et plus subjective, jusqu'à prendre presque l'allure d'une nature morte; et les peintres de genre prouvèrent une fois pour toutes que ce n'est pas la noblesse ou la beauté du sujet qui fait un bon tableau, mais seulement la manière dont l'artiste le voit et l'interprète. A cet égard, les artistes de genre hollandais ont frayé une voie originale. C'est au terme de celle-ci que nous trouverons Vermeer.

La célébration de la vie quotidienne

La croissance rapide d'une classe moyenne aisée va provoquer dans la Hollande du XVIIe siècle un phénomène sans précédent : l'apparition d'un marché de masse pour la peinture. Deux catégories d'œuvres en bénéficient, les natures mortes et les tableaux de genre — elles ont toutes deux une fortune éclatante. Les meilleures toiles, considérées comme des investissements par les acheteurs, sont vendues par des marchands tels que Vermeer et son père; les autres sont exposées dans les foires ou même proposées dans les rues par des colporteurs. Il n'y a guère de foyer hollandais où l'on ne trouve un tableau, et un voyageur anglais note avec surprise que « bien souvent des forgerons, des savetiers auront un tableau ou un autre près de leur enclume ou dans leur échoppe ».

L'art hollandais, qui reflète les préoccupations concrètes d'un peuple pratique, peut témoigner parfois d'un moralisme aussi sombre que la nature morte ci-contre. Mais, s'il veut transmettre un message, il le dissimule le plus souvent sous le décor avenant de la vie quotidienne. Une scène de banquet fastueuse exécutée avec truculence, ou l'image joviale d'une famille au bord de l'ébriété, portraiturée par un peintre complice, doit avant tout amuser et ne prêcher qu'ensuite — comme si la morale discrète qui s'en dégage n'était qu'une excuse destinée à faire passer le sujet, ou un antidote éprouvé contre les suites de l'ivresse. Cette attitude insouciante a inspiré une quantité de tableaux pleins de charme et de verve qui ont dû ravir leurs possesseurs et qui montrent avec brio aux spectateurs du XXe siècle comment les Hollandais de l'Age d'or comprenaient la vie.

Une telle nature morte était appelée une *vanité* — une œuvre d'art visant à faire passer une morale; ce genre de tableaux faisait l'admiration des austères calvinistes. Les parchemins, les livres et les fruits symbolisent les biens et les plaisirs terrestres, mais la mort en atteste le caractère passager.

Harmen van Steenwijck : *Vanité*, v. 1655. Détail, à droite.

GALERIE ROYALE DE PEINTURE, « MAURITSHUIS », LA HAYE

Willem Kalf : *Nature morte,* 1659

Jamais les natures mortes n'ont été aussi populaires qu'au XVIIe siècle : leurs sujets se prêtaient admirablement au décor des intérieurs. Ce qui n'était d'abord qu'une catégorie étroite d'œuvres d'art prit de l'importance, au point de se subdiviser en spécialités bien différenciées, allant des *vanités* allégoriques comme celle de la page précédente aux études de fleurs et aux tables et dessertes couvertes de victuailles comme ces deux toiles de Willem Kalf *(ci-dessus)* et de Jan Davidsz. de Heem. Ce sont même les Hollandais qui ont donné à la nature morte son nom de *stilleven*, ou « vie silencieuse » des choses.

L'ambition des peintres de natures mortes et leur effort visaient à donner à des objets choisis pour leur beauté l'apparence du réel. Ainsi Kalf se plaît à évoquer un objet au moyen de touches de lumière, par exemple, dans le tableau ci-dessus grâce aux reflets dans le verre. L'Anglais Samuel Pepys, auteur du célèbre *Journal,* rapporte qu'il fut si enthousiasmé par des effets de ce genre, qu'il voulut toucher du doigt sur un tableau des gouttes de rosée afin, dit-il, de « sentir si mes yeux n'étaient pas abusés. » C'est pour éviter que l'âme de leurs spectateurs, abusée elle aussi par ces mirages, ne cède à la tentation des nourritures et des boissons, que les artistes prenaient généralement soin d'inclure dans leurs œuvres des allusions discrètes à la brièveté de la vie — tels la montre-gousset en or et les fragiles papillons qui encadrent le tableau, par ailleurs si épicurien, de de Heem.

Jan Davidsz. de Heem : *Nature morte au homard*, v. 1650

Gérard Terborch : *Réunion dans un intérieur* v. 16

Les tableaux de genre trouvèrent comme les natures mortes des amateurs enthousiastes au sein d'une bourgeoisie qui se complaisait dans ses divertissements quotidiens et ses intérieurs confortables. De nombreux peintres s'y sont adonnés; ils ont œuvré aux divers niveaux de la société hollandaise en fonction de publics différents. Gérard Terborch, représenté ici par deux de ses œuvres les plus intimistes, appartenait lui-même à la classe supérieure et ses toiles font montre d'une opulence qui prouve assez qu'il les destinait aux intérieurs les plus cossus. Comptant manifestement sur une clientèle de riches connaisseurs, il a prodigué son talent sur des objets fastueux tels que cette robe de satin *(à gauche)*.

Malgré l'attention qu'il porte à de tels détails, Terborch est resté fidèle au mode anecdotique et à la peinture de genre et, dans sa manière propre, qui est toute de subtilité, il a su se montrer l'égal des plus grands. Le tableau ci-dessus était traditionnellement intitulé *l'Admonestation des parents*, jusqu'à ce qu'un critique, remarquant la pièce d'or dans la main de l'homme et le mobilier de la chambre à coucher, ait cru devoir proposer un titre plus neutre. *La Nouvelle importune (à droite)* possède une force d'expression sans équivoque : assis devant un lit qui forme l'arrière-plan du tableau, un soldat, serrant une jeune femme contre lui, reçoit son ordre de rappel.

Réunion dans un intérieur, détail

Un des traits marquants de l'art hollandais est son humanité et, si l'on relève une trace d'humour dans beaucoup des tableaux de genre, le sentiment y affleure tout aussi souvent. Il est très accusé dans le tableau de Nicolaes Maes *(ci-dessous)* représentant une vieille femme en prière — encore que l'impression austère soit atténuée ici par le chat qui essaye d'arracher de ses griffes la nappe avec le repas servi. Dans la toile reproduite à droite, Pieter de Hooch, ayant construit un espace presque géométrique, réchauffe ce qu'un tel cadre pourrait avoir de glacé par le tête-à-tête d'une mère et de son enfant, peints avec une telle tendresse qu'on est tenté de ne pas y voir des modèles indifférents, mais sa femme et son fils de trois ans, vêtu d'une robe selon la mode du XVIIe siècle. C'est une autre tendre maternité que nous livre Gabriel Metsu dans le tableau ci-contre où l'on retrouve certaines des qualités de Vermeer, ainsi qu'un souci plus poussé des caractères.

Pieter de Hooch : *Le Cellier,* v. 1658

Nicolaes Maes : *Le Bénédicité*, v. 1655

Adriaen van Ostade : *Paysans à la taverne*, 1654

La vie populaire devint un des thèmes favoris de la peinture de genre, peut-être en raison de la satisfaction qu'elle donnait aux riches Hollandais de se sentir si au-dessus d'une telle existence. Adriaen van Ostade, fils de tisserand, fut un des nombreux artistes qui firent des campagnards le fond de leur répertoire : il nous a laissé des centaines d'œuvres dans la même veine. Il brosse ses scènes de vie paysanne sans aucun souci de commentaire social; il représente le menu peuple dans ses moments de détente et jamais dans ses moments de peine. Mais la fidélité avec laquelle il nous montre ces personnages courtauds et corpulents se livrant, comme ici, à leurs jeux enfantins révèle aussi leur aspect pathétique. Les paysans avaient été les plus éprouvés par la guerre de Quatre-vingts ans et, si le retour à la paix améliora leur sort, ils ne cessèrent pas d'avoir pour partage les travaux les plus durs, la pauvreté, la maladie et la mort.

COLLECTION B. DE GEUS VAN DEN HEUVEL, LOENEN AAN DE VECHT

Adriaen van Ostade : *Paysans dansant devant une taverne*, 1654

THE METROPOLITAN MUSEUM OF ART, NEW YORK, COLLECTION MICHAEL FRIEDSAM, 1931

Adriaen Brouwer : *La Rixe*

BAYERISCHE STAATSGEMÄLDESAMMLUNGEN, MUNICH

Adriaen Brouwer : *L'Odorat*

Adriaen Brouwer a puisé ses thèmes dans les bas-fonds de la société hollandaise et il a produit à partir de cette matière équivoque des œuvres d'une telle qualité que des connaisseurs aussi éclairés que Rembrandt et Rubens. A la différence de van Ostade, Brouwer paraît vivre son sujet plus encore qu'il ne l'observe. Il aurait d'ailleurs été lui-même, à en croire ses biographes, une sorte de truand et aurait connu la prison.

Dans cette vie populaire qui le fascine, il a découvert l'occasion de peindre des êtres qui s'abandonnent à eux-mêmes, tels les personnages de *la Rixe (ci-dessus)* ou les fumeurs ivres du bas de la page.

Bien que ses tableaux gardent souvent une allure d'esquisses et soient presque toujours de petit format (celui qui est reproduit sur la page de droite ne dépasse pas 13 cm de haut), Brouwer était un artisan méticuleux. Il choisissait soigneusement ses détails en s'interdisant d'y introduire aucune notation superflue : ses fonds sont généralement neutres, restituant l'atmosphère de pièces sombres, humides et enfumées. Il fait vivre ses peintures, a-t-on dit, « par la totalité d'un geste vif ou d'un réseau de gestes entremêlés ». Cette véhémence de passion semble avoir été le reflet de son propre caractère; peut-être a-t-elle contribué à hâter sa fin prématurée, survenue à trente-deux ans. Un contemporain a résumé en un tercet sa brève carrière :

Il n'a jamais méprisé ce que le monde lui imposait,
Il n'a peint que lentement, il savait dépenser comme les meilleurs,
Et dans les tavernes puantes fumait sa pipe avec entrain.

COLLECTION W. REINEKE, AMERSFOORT, HOLLANDE

Adriaen Brouwer : *Jeune homme*

V

Une floraison éclatante

L'Age d'or hollandais a vu naître un si grand nombre d'artistes en un temps si court qu'il est malaisé de les répartir en deux générations distinctes. Ainsi Frans Hals, Rembrandt et Vermeer passent souvent pour représentatifs, l'un du début, l'autre du milieu et le troisième de la fin de cette époque; cependant, leurs carrières sont voisines car ils ont produit simultanément pendant plus d'une décennie et tous trois sont morts en l'espace de neuf ans.

On peut néanmoins tracer une ligne de démarcation sommaire entre des peintres tels que Hals, Avercamp et Terbrugghen, qui ont été les pionniers des styles nouveaux, et leurs cadets qui ont trouvé des langages artistiques déjà formés. Ceux-ci, nés généralement après 1620, sont les contemporains de Vermeer; c'est à eux que l'Age d'or hollandais doit son apogée. Ils n'ont pas nécessairement été de plus grands artistes que leurs aînés, mais ils ont eu tendance à peindre avec plus de raffinement, plus de moelleux, et leur œuvre est le condensé des différents modes d'expression artistique de leur siècle.

Il en est ainsi en particulier de la peinture de paysage, qui trouve sa forme la plus haute dans l'œuvre de Philips de Koninck et dans celle de Jacob van Ruysdael (qu'on ne doit pas confondre avec Salomon van Ruysdael, artiste moins connu qui était son oncle et fut son maître); quant aux peintres ultérieurs, à part un ou deux chefs-d'œuvre dus par exemple au singulier Meindert Hobbema, aucun d'entre eux n'ajoute plus rien d'essentiel à la peinture de paysage après ces deux artistes.

De Koninck, né en 1619, a vécu à Amsterdam et a été connu de ses contemporains comme le propriétaire du service de bateaux reliant sa ville natale à Rotterdam. Mais son mérite le plus durable tient à ses 70 tableaux de la campagne hollandaise, exécutés avec une telle puissance qu'en dépit d'une indifférence de plusieurs siècles, il est considéré aujourd'hui comme un des maîtres de son temps.

On a pu affirmer que la contribution la plus importante des peintres hollandais à l'art du paysage était le panorama, et de Koninck est sans rival dans ce mode d'expression. Ses tableaux *(pages 110-111)* sont pleins de grandes taches de lumière sur des étendues sombres de champs; ses horizons étendent leurs lignes régulières à travers la toile, séparant la terre et le ciel en deux moitiés presque égales. Le paysage est vu d'un

Cette scène de patinage pleine de gaîté due à Hendrick Avercamp allie les éléments traditionnels de la peinture de genre et la conception du paysage à l'état pur : ce mélange des genres devait connaître un grand succès en Hollande. On a qualifié des scènes d'hiver telles que celle-ci de « paysages par excellence du XVIIe siècle hollandais.»

Hendrick Avercamp : *Scène d'hiver avec des patineurs près d'un château* point élevé, de sorte que les collines ou les arbres qui pourraient s'interposer sont rarement assez hauts pour briser la ligne qui va du spectateur à l'horizon vaporeux où les couleurs s'estompent. Il en résulte une impression d'espace sans limite et de sérénité. Le ciel est généralement rempli de nuages dramatiques qui confèrent le mouvement à une scène par ailleurs paisible.

La vision de la nature qu'offrent les tableaux de de Koninck, bien qu'exempte de détails accessoires, est essentiellement réaliste, ce qui ne signifie pas qu'elle soit rigoureusement conforme à la réalité. De Koninck fait un choix parmi les traits du paysage qui s'étend devant lui et compose son tableau avec le souci de l'effet esthétique. Ce faisant, il s'éloigne de la restitution précise de la nature qui avait caractérisé une grande partie de l'œuvre des premiers paysagistes.

Ruysdael a poussé cette tendance à la subjectivité plus loin encore et l'a appliquée plus largement. Non seulement dans ses panoramas, mais aussi dans ses scènes de forêts et dans ses marines et tableaux de rivages, il a transformé la réalité de façon presque imperceptible, mais subtile, pour servir son propos artistique. L'un de ses tableaux les plus célèbres, *le Moulin à vent,* voisin de la petite ville de Wijk bij Duurstede *(pages 118-119),* illustre le génie avec lequel il refaçonnait la nature pour en faire une création artistique. Un moulin tout semblable s'élève aujourd'hui à l'emplacement du moulin initial, et le paysage est très semblable à ce qu'il était il y a trois cents ans, mais il laisse dans la réalité une impression moins frappante que sur la toile. La construction artistique de Ruysdael — contraste des couleurs, opposition des lumières et des ombres, de même qu'un usage habile des verticales et des diagonales — donnent à cette simple bâtisse une allure monumentale presque menaçante, aussi romantique et imposante qu'un château du Moyen âge.

On considère souvent la peinture hollandaise de paysage comme le reflet uniformément tranquille et dépourvu d'émotion de campagnes paisibles. L'œuvre de Ruysdael prouve combien cette appréciation est inexacte. On relève dans beaucoup de ses toiles une touche de mélancolie qui rappelle les sombres méditations du paysagiste du début du siècle, Hercules Seghers. *Le Rayon de soleil* de Ruysdael en est un bon exemple. Il a une tonalité d'une gravité enveloppante et une atmosphère dramatique. Il représente une large vallée, avec une ville perdue dans l'ombre à l'arrière-plan et une ruine sombre sur la gauche; un rayon de lumière soudain frappe un vieux pont de briques. Un cavalier drapé de rouge vient de franchir ce pont et Ruysdael exprime clairement qu'il a laissé derrière lui la sécurité de la ville et qu'une longue route l'attend dans la pénombre qui s'épaissit. L'atmosphère est rendue plus intense par un grand ciel plein de nuages menaçants, sculptés en ombres et en lumières, qui occupe au moins les deux tiers de la toile.

Le sens de la réalité est si fort dans les paysages de Ruysdael que même lorsqu'il l'altère, ou qu'il l'assombrit de ses émotions, on est surpris d'apprendre que ni lui ni les autres paysagistes contemporains n'ont jamais peint en plein air. Ils faisaient des esquisses d'après nature, mais peignaient dans leur atelier, en se fiant à leur carnet de dessins et à leur mémoire. Néanmoins, la connaissance de l'univers qu'il a reproduit est profonde chez Ruysdael. Périodiquement, il quittait Haarlem pour le village d'Overveen, près de la mer du Nord, escaladait les dunes et passait des heures absorbé dans la contemplation du paysage.

Il avait pour la nature un amour poétique et presque mystique, un sentiment de la puissance de la nature qui l'a conduit à réduire l'homme dans ses tableaux à un rôle infime. Aucun paysagiste hollandais n'a éliminé aussi complètement l'homme et ses œuvres du paysage — pourtant, les campagnes de Hollande avaient une population dense et les paysages déserts y étaient rares. Ainsi dans l'inoubliable *Vue de Haarlem (page 118)* que Ruysdael a représentée telle qu'on peut l'apercevoir des dunes de sable d'Overveen, on voit des ouvriers faire blanchir des draps dans les champs, mais ils sont subordonnés à la nature. Ce sont les champs eux-mêmes qui importent et ce sont les arbres, les nuages et la lumière, observés avec tant d'amour, qui constituent les éléments dominants.

Ruysdael fait aujourd'hui figure d'artiste hors de pair mais, de son temps, il n'était qu'un paysagiste parmi les centaines d'autres qui emplissaient les marchés de leurs productions. Une étude poussée a permis de retrouver les noms de 250 paysagistes hollandais du XVIIe siècle, dont plusieurs douzaines ont apporté une contribution artistique importante. La concurrence rendait la vie de ces peintres très difficile, sauf pour ceux qui ont eu la chance de s'imposer au public de leur temps.

Cette profusion d'œuvres nouvelles, si elle a pu avoir des effets fâcheux sur le marché local, a contribué à répandre l'influence de la peinture hollandaise de paysage au-delà des frontières du pays. Des milliers de tableaux représentant la campagne hollandaise ont trouvé place dans des collections étrangères où ils ont été contemplés et admirés par les paysagistes français, anglais et italiens des XVIIIe et XIXe siècles.

Deux paysagistes hollandais ont exercé une influence marquante à l'étranger — notamment en Angleterre —, Albert Cuyp et Meindert Hobbema. Cuyp, né vers 1620, était un gentilhomme campagnard aisé et fut magistrat de la ville de Dordrecht; il ne peignait pas pour assurer sa subsistance, et il ne jouit de son vivant d'aucune notoriété particulière. Mais, au XVIIIe siècle, ses œuvres devinrent si populaires en Angleterre que des collectionneurs firent le voyage de Hollande pour acheter toutes les toiles de lui qu'ils purent trouver. Demeuré très proche du terroir, Cuyp a peint les animaux et les travaux agricoles *(pages 108-109)* avec un talent qui a enchanté la gentry anglaise. Aujourd'hui encore, la plupart de ses meilleurs tableaux sont en Angleterre et il n'est que médiocrement représenté dans les musées de son propre pays.

Les œuvres de Cuyp sont d'une qualité constante et les meilleures sont excellentes. Ses paysages, souvent peuplés de chevaux et de vaches, sont baignés de soleil, et tout y est plus paisible, éclairé d'une lumière plus égale que dans les œuvres de beaucoup de ses contemporains. Son *Berger aux cinq vaches près d'une rivière,* l'une des neuf toiles de Cuyp que possède la National Gallery de Londres, rayonne d'une lumière douce et exhale une tranquillité qui est celle de la campagne juste avant le coucher du soleil, quand l'obscurité tombante atténue l'éclat du jour et les contrastes. On trouve dans ce tableau et dans d'autres œuvres maîtresses de Cuyp un rayonnement qui lui a valu le surnom de « Claude Lorrain hollandais », par référence au grand peintre français dont les paysages baignent aussi dans une vapeur dorée.

Meindert Hobbema a été l'un des derniers — et peut-être *le* dernier — des grands paysagistes de l'Age d'or, et il a été lui aussi l'un des peintres favoris des amateurs d'art anglais des XVIIIe et XIXe siècles. Né en 1638, il fut quelque temps l'élève de Ruysdael, mais sa manière n'a pas la gravité de celle de son maître. Il traite un nombre plus limité de motifs, peignant principalement des scènes forestières et des moulins à eau où il fait preuve d'une intimité avec la nature, d'un sens du détail véridique plus poussé que chez Ruysdael. Hobbema peint magistralement les arbres; il en a peint des centaines, enregistrant avec une subtilité qui ne se dément jamais les mille variations de leurs couleurs et de leurs formes.

A une exception près, Hobbema a produit ses meilleures œuvres dans sa jeunesse, au cours des années 1660. En 1668, il obtint de la municipalité d'Amsterdam la fonction convenablement payée de jaugeur juré et l'on ne retrouve, passé cette date, que fort peu de peintures de lui. C'est vingt ans plus tard, en 1689, qu'il peignit l'œuvre qui est le couronnement de sa carrière : *l'Avenue à Middelharnis* *(pages 116-117)*.

Toute la grâce et la légèreté de ce célèbre tableau tiennent à l'équilibre délicat de l'espace et des objets; il y a cependant beaucoup de force dans ces quelques arbres minces dressés jusqu'au ciel, dans cette composition pleine de sûreté qui oppose adroitement les horizontales et les verticales. Quelles que soient les circonstances qui sont à l'origine de ce coup de génie de la maturité d'Hobbema, c'est incontestablement l'un des plus beaux paysages du siècle. Qui plus est, la peinture hollandaise de paysage n'a plus produit aucune grande œuvre après *l'Avenue ;* celle-ci est l'ultime création de l'Age d'or.

RIJKSMUSEUM, AMSTERDAM

Gérard Terborch révéla précocement son goût du costume; il n'avait que huit ans quand il commença à dessiner les personnages de la haute société que fréquentait son père. Mais le jeune Gérard n'avait pas encore acquis le don de sobriété qui fait le charme des œuvres de sa maturité; il témoigne ici d'un goût enfantin de l'extravagance.

Les paysagistes n'ont pas été les seuls à rivaliser pour retenir l'attention du public durant les dernières années de cette grande époque. Parmi les artistes les plus prolifiques figurent les centaines de peintres qui continuent de pratiquer les différents modes de la peinture de genre élaborée par la génération précédente. L'un des plus productifs et des mieux connus est Jan Steen qui, par ses chroniques des fêtes, des débits de boissons et ses scènes de la vie populaire, se rattache indirectement à la lignée d'Adriaen Brouwer et d'Adriaen van Ostade. Steen peint aussi inégalablement les enfants — il en avait lui-même plusieurs qu'il a pris pour modèles — et il les représente avec une acuité de perception et une tendresse remarquables.

Il y a dans beaucoup d'œuvres de Steen un don et une vigueur anecdoctiques qui expliquent pour une part sa popularité au XVIIe siècle; mais il est plus qu'un simple narrateur. Dans ses meilleurs moments, Steen est aussi intéressé par les effets de lumière et de couleurs autour de ses personnages que par la scène qu'il leur fait jouer. Malgré sa gaillardise, c'est un artiste extrêmement sérieux et ses scènes de taverne les plus débridées, qui donnent à première vue l'illusion de l'improvisation et du laisser-aller, sont en réalité très étudiées et soignées. (On admet aujourd'hui que certaines toiles manifestement bâclées qui lui sont attribuées sont soit l'œuvre de ses élèves, soit des tableaux qu'il aurait brossés à la hâte en quête d'un profit facile.)

Steen, qui avait épousé la fille du paysagiste Jan van Goyen, a dirigé pendant plusieurs années une brasserie à Delft et il est probable qu'il a très bien connu les œuvres de Vermeer. Rien ne prouve cependant que les deux hommes se soient mutuellement influencés. En fait, mis à part son intérêt pour la lumière, Steen est très différent de Vermeer dans sa conception de la peinture. Il n'a rien d'un contemplatif, son attitude est celle d'un chroniqueur. Il porte un intérêt personnel et une attention pleine de vie aux activités des êtres qui l'entourent et il les représente avec humour, jouant, mangeant, buvant et festoyant *(pages 86-87)*. Son énorme production — quelque 800 tableaux au total, comprenant des sujets allégoriques et religieux — offre l'une des meilleures relations de la vie hollandaise au XVIIe siècle.

Si Steen a peu de traits communs avec Vermeer, d'autres peintres de genre de la seconde génération ont produit des œuvres qui rappellent par bien des traits le maître de Delft. On citera parmi les plus doués Gérard Terborch, Gabriel Metsu, Nicolaes Maes et Pieter de Hooch, entre lesquels la parenté est évidente : tous ont le goût des couleurs lumineuses et délicates; tous se sont spécialisés dans des scènes d'intérieur bien éclairées, soigneusement composées où n'interviennent qu'un petit nombre de personnages; et leur œuvre est discrète et paisible en comparaison de celle de Steen. Au surplus, ils s'empruntent librement leurs sujets ou les empruntent à d'autres artistes, selon la coutume du temps. Les analogies entre Vermeer et ces contemporains de talent sont si grandes qu'au cours du XVIIIe et du XIXe siècle, beaucoup de ses tableaux leur ont été attribués par des marchands astucieux qui pouvaient en tirer un meilleur prix que de ceux d'un Vermeer tombé dans l'oubli.

Gérard Terborch a été assez heureux pour être apprécié tant par son époque que par les générations suivantes. Il constitue une double exception dans la vie artistique de son temps : c'était un mondain et, grâce à son mariage, un homme fort aisé. (Il a été aussi le seul peintre important qu'ait produit la province de l'Overijssel, à l'est des Pays-Bas.) Il s'habillait avec élégance et voyageait beaucoup; au cours de ses années de formation, il avait travaillé à Londres et à Rome et, selon certains historiens, il serait allé en Espagne après le traité de Paix de 1648 et y aurait peint un portrait du roi Philippe IV.

Dans sa jeunesse, Terborch a aimé peindre des militaires en goguette — occupés le plus souvent à boire ou rendant visite à des dames; c'était un thème à la mode, auquel Vermeer s'essaya lui aussi à ses débuts. Terborch a su aborder des sujets terre-à-terre en évitant toute allusion équivoque ou vulgaire — il était trop raffiné pour s'exposer à ce risque. Sa manière est subtile, ses personnages, rarement plus nombreux que trois, posent dans un espace aux contours vagues; ses couleurs sont discrètes, les formes sont modelées avec soin. Par la suite, dans des œuvres qui sont peut-être plus admirées, il renonce à figurer des soldats pour ne plus peindre que des élégantes richement parées de satin et de soieries miroitantes, campées avec distinction sur des arrière-plans sombres dans des intérieurs que baigne une lumière égale *(pages 84-85)*.

Terborch est aussi l'auteur d'un des plus beaux tableaux historiques du XVIIe siècle hollandais, *le Traité de Munster*, qui représente les délégués espagnols et hollandais présents à la signature du traité de 1648 par lequel fut ratifiée l'indépendance des Pays-Bas. Les scènes d'histoire contemporaine sont une rareté dans la peinture hollandaise; peu d'artistes hollandais ont été témoins de grands événements historiques et ils ne peignaient que ce qu'ils pouvaient voir. Terborch qui a voyagé plus que la plupart de ses confrères était à Munster pendant les négociations. Son tableau, qui rassemble plus de 50 portraits sur un panneau ne dépassant pas 40 cm sur 58, nous restitue de façon vivante ce moment dramatique.

Gabriel Metsu était un ami intime de Jan Steen et l'on retrouve dans son art quelque chose de la jovialité de celui-ci; mais son œuvre est généralement plus proche par l'esprit de celle de Vermeer. Ainsi, l'un de ses tableaux de genre les plus connus, *la Lettre,* témoigne à l'évidence tant par son sujet que par son exécution de la dette contractée par Metsu à l'égard de Vermeer. C'est une œuvre d'une technique remarquable, qui représente une femme de qualité dans une jaquette jaune bordée d'hermine. Sur sa jupe rose est posé un coussin rouge et elle lit une lettre; une servante vêtue de brun et de bleu tient une enveloppe et regarde une marine accrochée au mur. Le personnage de la femme, la servante, la lettre, certaines des couleurs et même la marine, se retrouvent dans *la Lettre d'amour* de Vermeer *(page 158)*.

Mais une différence importante sépare Metsu et ses émules de Vermeer. Ce dernier confère aux scènes familières une qualité mystérieuse de réserve et de silence qui isole ses personnages du spectateur et donne l'illusion que le temps s'arrête, suspendu. Metsu, au contraire, représente une scène comme si elle n'existait que pour être peinte et la fixe sur sa toile avec une fidélité presque photographique : il n'oublie rien, n'ajoute rien, nous l'imaginons mettant ses modèles en place, posant à terre une pantoufle, poussant une chaise au bon endroit. Il les peint *(page 88)* avec chaleur et intelligence et sait faire participer le spectateur à la situation et au moment, mais il n'y a rien chez lui de la distance spirituelle devant son sujet, de la froide réserve qui élève l'œuvre de Vermeer au-dessus du domaine du quotidien.

Nicolaes Maes, dont l'œuvre offre aussi des analogies avec Vermeer, est également un peintre de scènes domestiques. C'était un élève de Rembrandt, mais bien éloigné de la personnalité éclatante et du style dramatique de son maître. L'homme était doux et paisible et ses tableaux traitent de sujets bénins : un enfant balance un berceau, une jeune fille mélancolique coud dans un coin, une vieille femme solitaire récite le bénédicité devant son maigre souper consistant en un hareng posé sur un plat d'étain *(page 89)*.

Certains observateurs croient sentir l'influence de Maes dans les couleurs et la composition vigoureuse de *la Jeune fille endormie* de Vermeer. A la différence de celui-ci, Maes tombe parfois dans la sentimentalité, mais il traite ses minuscules anecdotes avec tant de sérieux et tant de métier que certaines de ses œuvres peuvent rivaliser avec les meilleures peintures de genre du siècle.

Le maître de la peinture de genre le plus proche de la perfection de Vermeer est Pieter de Hooch. Il avait trois ans de plus que Vermeer et il a passé approximativement sept ans à Delft. Il connaissait certainement fort bien les œuvres de Vermeer et il est probable qu'ils se sont influencés l'un l'autre. En 1662, de Hooch alla s'installer à Amsterdam où il se fit une spécialité des portraits appliqués et romantiques des gens du monde et la qualité de son œuvre s'en ressentit. Mais, dans sa période de Delft, quand il se cantonne dans les scènes domestiques toutes simples qui sont le thème familier des peintres de cette ville, son talent est admirable.

De Hooch avait été valet de pied, ce qui explique peut-être ce goût des maisons bien tenues si manifeste dans ses tableaux. Ceux-ci représentent généralement une perspective heureuse de chambres en enfilade, le jour y est partout présent et les pièces respirent cette propreté aérée et ce sens du bien-être dont s'enorgueillissaient déjà les foyers des classes moyennes aux Pays-Bas *(pages 89, 130)*.

Quelques tableaux de Hooch sont des extérieurs, des vues de cours ou de ruelles où la lumière verticale de midi, modulée au moyen d'ombres et de nuances subtiles, est restituée avec un réalisme presque palpable : c'est notamment par cet usage de la couleur que de Hooch rappelle le plus Vermeer et qu'il est le plus près de l'égaler.

Le succès des paysages et des tableaux de genre allait de pair dans les éventaires des marchés avec celui des natures mortes. Cette spécialité, que les peintres hollandais du XVIIe siècle ont élevée au premier rang des formes d'art, était depuis longtemps prisée aux Pays-Bas : des étalages de nourriture figuraient déjà dans certaines œuvres religieuses et certains portraits du XVe et du XVIe siècle. Ce furent désormais les objets inanimés que le peintre représenta pour eux-mêmes. Tout d'abord les tableaux de ce genre reçurent un titre qui correspondait à leur sujet : étude de fleurs, étude de fruits; une composition représentant un hareng et un verre de bière, ou tout autre déploiement d'aliments simples, était baptisée déjeuner; si l'étalage des mets était plus fastueux, il s'intitulait banquet. Ce n'est pas avant le milieu du siècle que cette catégorie d'œuvres prit le nom de *stilleven* — natures mortes.

Née dans les cuisines, la peinture de natures mortes étendit rapidement la gamme de ses sujets et finit par prendre en compte tout le catalogue des objets décoratifs ou utiles dont s'entouraient les bourgeois hollandais : chopes d'argent, verres de vin, pipes de tabac, instruments de musique, parchemins, globes terrestres côtoyant le gibier, les légumes et les fruits coutumiers. A mesure que le siècle avance, la nature morte reflète le luxe croissant des classes moyennes : vers la fin des années 1660, les simples nappes blanches ont fait place sur les tables aux tapis persans richement décorés et la faïence aux délicates porcelaines Ming. Une telle glorification de la vie aisée plaît aux acquéreurs prospères des œuvres d'art. Les tableaux où elle s'étale décorent avantageusement les murs au-dessus de la table où ils prennent leurs repas et les artistes qui les produisent sont assurés d'une demande régulière.

Dans une première période, les spécialistes de la nature morte glissent souvent dans leurs œuvres un message transparent, tout comme le font les auteurs de tableaux de genre. Un de leurs thèmes familiers est la vanité de toutes les entreprises terrestres; aussi leurs œuvres sont-elles parfois appelées des *vanités*. Elles comportent toujours quelque objet qui évoque le caractère passager de la vie — un crâne ou quelques os, un sablier, des fleurs, une chandelle éteinte. On rencontre d'innombrables symboles de ce genre, dont chacun a son sens particulier : la conque marine, objet de collection, représente la richesse; les instruments de musique symbolisent les plaisirs des sens; le glaive japonais est l'emblème de la puissance militaire. Quelques artistes peignent même des natures mortes plus élaborées encore, pour le plaisir des observateurs perspicaces qui perceront à jour le symbole voilé.

Un des bastions traditionnels de la peinture de vanités fut Leyde, peut-être en raison de l'université qui avait fait de cette ville un centre d'études théologiques. On a suggéré que la peinture de vanités avait joué en Hollande un rôle comparable à celui des crucifix et des tableaux religieux dans les pays catholiques, qu'elle était le détour imaginé par le protestantisme pour rappeler aux spectateurs la fragilité passagère des joies humaines et des triomphes terrestres.

Ce symbolisme s'atténua progressivement lorsque les artistes en vinrent à s'intéresser plus à la peinture proprement dite qu'à sa morale. Ce fut le cas par exemple d'un peintre éminent de vanités, Jan de Heem, qui vécut plusieurs années à Leyde; par la suite, son intérêt se porta sur les études de fleurs et de fruits *(page 83)*. Négligeant dès lors l'allégorie, il s'attacha surtout à la qualité purement esthétique de ses sujets, à leurs couleurs, leurs contextures et leurs formes. (Les études de fleurs, très populaires en Hollande, y avaient été longtemps considérées comme un élément essentiel de l'apprentissage d'un artiste et comme un des critères de sa dextérité).

Un autre maître incontesté de la nature morte sous tous ses aspects est Willem Kalf, dont les meilleures années coïncident avec l'apogée de la peinture hollandaise de natures mortes, de 1640 aux environs de 1670.

Ces études minutieuses de souris des champs, dues à Jacques de Gheyn, reflètent l'intérêt croissant des artistes du XVIIe siècle pour une représentation de la nature détachée de toute résonance religieuse ou mythologique. De Gheyn, un des maîtres de la peinture de nature morte, et plusieurs de ses émules furent encouragés dans cette voie par les savants, qui voulaient illustrer de reproductions exactes leurs ouvrages de sciences naturelles.

La technique de Kalf est magnifique : il peut reproduire avec une maîtrise étonnante la lumière tombant à travers des cristaux de couleur et des verres de vin, ou peindre avec une précision sensuelle la pelure en spirale d'un zeste de citron *(page 82)*. Mais finalement Kalf et les autres maîtres de la nature morte, tout en continuant à satisfaire avantageusement beaucoup de leurs clients, sont allés bien au-delà de la pure description. Non contents de refléter la prédilection de leurs contemporains pour l'opulence de l'objet, ils se sont plu à construire de purs modèles de couleurs et de lumière. Sous la main d'artistes comme de Heem et Willem van Aelst de Delft, la composition d'une étude de fleurs, le jeu de l'ombre et de la lumière, deviennent aussi fascinants que le bouquet aux fleurs éclatantes.

En ce sens, les natures mortes et notamment celles de Kalf ont une parenté avec l'œuvre de Vermeer. Rien ne permet de penser que Vermeer ait exécuté des natures mortes au sens propre, mais on a souvent noté qu'il avait capté l'essence de ce qu'il y avait de meilleur dans cette technique. Tout comme l'ont fait les maîtres de la nature morte, le maître de Delft transcende les limites de ses sujets habituels pour incarner une vision plus universelle de la forme et de la beauté.

Une autre spécialité picturale de l'époque — qui a influencé Vermeer — est la peinture d'architecture *(pages 68-69)*. A la génération précédente, le pionnier de cette technique avait été Pieter Saenredam; c'est lui qui le premier avait rompu avec la manière plus ou moins fantaisiste de traiter, comme cela avait été le cas jusqu'alors, la peinture architecturale. Avec une maîtrise impeccable de la perspective et une précision géométrique, il avait peint les lignes et les courbes des arches et des colonnes de douzaines d'intérieurs d'église. Connu comme le « premier portraitiste de l'architecture », Saenredam avait été méticuleusement véridique. Si, dans le dessin d'un édifice, il changeait une ligne ou un détail par rapport à la réalité, il en prenait note avec soin afin de ne pas induire le spectateur en erreur.

Emanuel de Witte, autre peintre d'architecture, né en 1617, était d'un esprit tout différent. Ses intérieurs imposants, avec leurs plafonds voûtés et leurs vastes espaces libres, n'étaient pas nécessairement tirés de la réalité, mais étaient souvent le fruit de son imagination. Cependant, ses constructions sont d'une solidité si convaincante qu'elles donnent toujours une *impression* inébranlable de réalité. Il y parvient notamment en rendant à la perfection l'effet de la lumière sur les surfaces tant intérieures qu'extérieures des bâtiments qu'il peint; il manipule l'ombre et la clarté pour rendre la consistance même de la brique ou de la pierre comme on ne les a jamais montrées avant lui. De pareils tours de force ne pouvaient échapper aux contemporains de de Witte, et moins qu'ailleurs à Delft où il travailla pendant une dizaine d'années. La maîtrise dont Vermeer, de Hooch et les meilleurs peintres de Delft font preuve dans le rendu des murs, des ruelles et des cours de leur cité, c'est pour beaucoup à de Witte qu'ils la doivent. De tous les contemporains de Vermeer, celui qui l'a marqué le plus visiblement est Carel Fabritius, le jeune peintre si brillant qui trouva la mort en 1654 dans l'explosion de la poudrière de Delft. Même si les preuves nous manquent pour affirmer que Fabritius fut bien le maître de Vermeer, leur œuvre confirme l'admiration que le cadet éprouvait pour son aîné et sa dette envers lui. (A sa mort, Vermeer possédait deux ou trois Fabritius.)

La production de Fabritius est réduite et, bien qu'elle se limite à quelques portraits et un petit nombre de peintures de genre, sa place dans l'art hollandais est malaisée à définir. On a souvent dit que son œuvre formait une espèce de pont spirituel entre Rembrandt et Vermeer. Fabritius avait, en effet, travaillé sous la direction de Rembrandt à Amsterdam avant de s'installer à Delft; l'un de ses premiers tableaux, son *Portrait de l'artiste par lui-même* (il n'est d'ailleurs nullement certain que ce soit son propre portrait), rappelle la manière de Rembrandt par ses couleurs chaudes et le jeu dramatique de la lumière et de l'ombre. Mais ses dernières œuvres, peintes à Delft, préfigurent dans une large mesure l'harmonie des couleurs froides et la composition compacte qui sont la marque de Vermeer.

Deux tableaux de Fabritius en particulier appellent la comparaison avec Vermeer. Sa *Vue de Delft,* bien que toute différente de la grande *Vue de Delft* de Vermeer, a en commun avec cette dernière la maîtrise pleine de sensibilité de la perspective et les effets de la chaude lumière et du soleil sur les bâtiments de briques rouges de la cité. Ce tableau de Fabritius est curieusement composé; il exagère en différents endroits les courbes et les angles, ce qui a conduit certains experts à supposer qu'il avait été dessiné pour une visionneuse : cet instrument était une sorte de lunette de visée qui produisait un effet stéréoscopique; très populaire à cette époque, il attestait l'intérêt exceptionnel que portaient les Hollandais à la perspective et à l'optique. *La Sentinelle (page 71),* un des derniers tableaux de Fabritius, a lui aussi bien des traits communs avec Vermeer. Le sujet, un soldat que l'on suppose de garde, mais qui s'est assoupi son fusil posé sur les genoux, est très loin de tout ce que Vermeer a produit. Pourtant l'atmosphère qu'il a créée est très proche de celle de Vermeer. Le tableau, en dépit de son sujet explicite, ne se borne pas à conter une anecdote prosaïque; il est peint avec ce froid détachement qui lui confère une qualité poétique liée non pas au récit, mais à l'équilibre intemporel des formes et des tons.

Mais c'est l'exquis petit *Chardonneret (page 70),* peint par Fabritius l'année de sa mort, qui s'apparente le plus directement au génie de Vermeer. Ce tableau, qui représente un petit oiseau enchaîné à une boîte de graines, met en œuvre les effets et les techniques caractéristiques de Vermeer; l'image sombre de l'oiseau ressort avec un relief extraordinairement vigoureux sur un mur de couleur claire; les zones d'ombre et de lumière reflètent et absorbent délicatement les couleurs qui les entourent; les contours de l'oiseau et de son perchoir donnent une telle impression de réalité et de profondeur qu'on croit en percevoir les trois dimensions. Ici encore, Fabritius, comme Vermeer, décrit le réel avec exactitude, mais sur un mode qui est poétique et non pas photographique. Enfin, tout gracieux qu'il soit, ce tableau a une force, une concision, une maîtrise contrôlée de l'espace qui ne se retrouvent nulle part ailleurs, sinon dans l'œuvre de Vermeer.

Quand Fabritius meurt, l'Age d'or est en pleine floraison. Les paysagistes, les artistes de genre, les spécialistes de la nature morte, les peintres d'architecture de la jeune génération sont dans la plénitude de leurs moyens et produisent une abondance d'admirables tableaux; Vermeer, un des derniers de sa génération, va ajouter son éclat à cet épanouissement. Puis, soudain, en l'espace de vingt ans après la mort de Fabritius, la floraison s'arrête. A quelques exceptions près, aucun nom ne survit à Vermeer. Il n'y a plus d'autre génération pour prendre la relève.

L'époque glorieuse de la peinture hollandaise, commencée avec Frans Hals au début du siècle, date seulement de cinquante ans quand Vermeer et ses contemporains lui confèrent son lustre suprême. Quand ils disparaissent, l'Age d'or est terminé.

L'amour de la nature

Après une quarantaine d'années de guerres harassantes, la Hollande connut au début du XVIIe siècle une période de trêve. Les peintres hollandais, à l'unisson de leurs compatriotes, se prirent à considérer avec une fierté nouvelle, avec une sorte de dévotion intense, le pays fertile pour lequel leurs pères et eux-mêmes avaient combattu. Ainsi naquit la grande époque du paysage hollandais.

Des éléments de paysage avaient toujours existé dans l'art des Pays-Bas, mais le plus souvent seulement comme un cadre ou un arrière-plan; désormais, on peignit des paysages pour leur propre beauté. Cela ne pouvait être l'affaire de peintres amateurs : dans un pays qui ne possède ni hautes montagnes, ni cascades spectaculaires, où tout est à l'échelle humaine et familière, où une bonne partie des terres est même l'œuvre de l'homme, il fallait une sensibilité et une maîtrise exceptionnelles pour dessiner ou peindre des paysages aussi saisissants que l'eau-forte ci-jointe. Les meilleurs paysagistes hollandais explorèrent une gamme étendue de sujets : Meindert Hobbema s'illustra par ses campagnes boisées, Willem van de Velde le Jeune par ses marines, Philips de Koninck par ses vues panoramiques; Jacob van Ruysdael, le plus grand de tous peut-être, pratiqua tous les genres de paysages. Malgré leurs réussites, bien peu de ces artistes s'enrichirent : de Koninck gérait un service de transport par eau, Hobbema était collecteur de taxes sur les vins et Jan van Goyen spécula sans succès sur les tulipes. Il est clair cependant que chacun était fier de son art et fier de son pays.

Cette gravure du plus grand des contemporains de Vermeer est un paysage parfait : la terre est animée d'activités multiples, la nature est pleine de contrastes, et le ciel qui s'éclaircit vibre d'une vie dramatique.

Rembrandt van Rijn : *Les Trois arbres*, 1643

Hendrick Goltzius : *Étude d'arbre*

Claes Janzs. Visscher : *Le Pont*

En Hollande comme partout ailleurs, l'art du noir et blanc anticipa souvent sur les découvertes ultérieures de la peinture. Ce fut notamment le cas au début du XVIIe siècle, quand les artistes commencèrent à explorer et à enregistrer les multiples richesses de la campagne hollandaise. Non seulement un graveur avait une production plus abondante qu'un peintre, mais ses œuvres pouvaient être tirées par centaines ou par milliers d'exemplaires sur des feuilles volantes ou être reliées sous forme d'albums — considération importante à une époque où existait un large public d'amateurs qui n'avaient cependant pas les moyens d'acheter des tableaux.

Mais l'importance de ces dessinateurs et graveurs va plus loin. Par leur souci de la représentation véridique de la nature, ils ont contribué à libérer le paysage d'une tradition qui n'en faisait que le cadre de scènes allégoriques, mythologiques ou bibliques. L'*Étude d'arbre* de Goltzius *(à gauche)* ne veut être que l'étude d'un arbre — branche par branche et feuille par feuille. Ainsi, en mettant leurs œuvres à la disposition du grand public, les graveurs et aquafortistes développèrent le goût du paysage. Comme Claes Jansz. Visscher, auteur de la vue de canal ci-dessus, l'écrivait sur la page de titre d'un recueil de ses planches, « Amoureux de l'art qui n'avez pas le temps de voyager loin, vous découvrirez ici d'un coup d'œil rapide bien des lieux plaisants. »

THE METROPOLITAN MUSEUM OF ART, NEW YORK, FONDS ROGERS, 1907

Albert Cuyp : *Paysage avec des arbres*

Malgré son amour des extérieurs, le paysagiste hollandais peignait rarement en plein air. Il prenait habituellement des croquis des scènes qui lui plaisaient puis, rentré dans son atelier, il commençait à peindre en se référant à ses dessins. Et, comme il lui arrivait d'utiliser pour une même toile une douzaine de dessins faits sous des angles différents, l'œuvre finale était souvent presque entièrement un produit de son imagination. Albert Cuyp a été l'un des plus brillants de ces peintres-dessinateurs. Choisissant des scènes aussi banales qu'un bateau se balançant sur son ancre, des vaches au bord d'une rivière ou des arbres tordus le long d'un chemin, Cuyp a su rendre de manière impressionnante, par le seul jeu du noir et du blanc, la réalité de la campagne hollandaise, celle d'un pays humanisé dépourvu de forêts profondes et de sauvagerie, mais plein de charme poétique et de simplicité.

Albert Cuyp : *Bateau de pêche*

Albert Cuyp : *Paysage avec une rivière et des vaches*

Philips de Koninck : *Vue d'une plaine avec une rivière*, 1664

MUSÉE BOYMANS-VAN BEUNINGEN, ROTTERDAM

PALAIS DES BEAUX-ARTS, LILLE

Willem van de Velde le Jeune : *Navires rendant les honneurs par mer calme*, date inconnue

La Hollande est liée plus intimement à la mer qu'aucune nation du globe. Aussi n'est-il pas surprenant qu'un bon nombre de ses peintres se soient consacrés à la peinture de marines. Willem van de Velde le Jeune, en particulier, adorait la mer; il avait accompagné la flotte hollandaise durant la guerre contre l'Espagne, et il en avait rapporté une relation saisissante sous la forme de dessins aussi vigoureux que celui-ci.

Alors que les peintres hollandais n'avaient pas de peine à trouver en mer des sujets dramatiques, la platitude et la monotonie de leur pays leur posait un problème plus ardu. Une des solutions auxquelles ils recoururent consista à représenter la plaine dans toute son étendue. Ils inventèrent le panorama — large perspective de terre et de ciel construite de manière à balayer le paysage — idée élémentaire pour le spectateur du XXe siècle, mais conception révolutionnaire pour les contemporains de Vermeer. Ayant imaginé cette approche inédite, ils se trouvaient encore devant la nécessité de varier leurs compositions, en compartimentant le terrain en une série de secteurs attrayants et en évitant que l'étendue du ciel n'écrasât la terre. Certains artistes choisirent un point de vue élevé et partagèrent leur toile à peu près également entre le ciel et la terre; d'autres préférèrent une vue au niveau du sol et trouvèrent des moyens nouveaux de renforcer l'intérêt visuel de la scène.

Philips de Koninck, élève de Rembrandt, est particulièrement connu pour ses panoramas; l'un de ceux-ci est reproduit ci-contre. Contemplant le paysage d'un point haut — éminence ou moulin à vent — de Koninck utilise le méandre d'une rivière comme une diagonale qui court hardiment sur sa toile du bas à droite vers le haut à gauche. Il y introduit un ravin boisé, en bas et à gauche, pour équilibrer la composition. Deux dunes arrondies, au centre, retiennent un instant l'œil avant que le panorama ne s'élargisse plus confusément vers l'arrière-plan. C'est grâce à des procédés géométriques de ce genre que de Koninck et les autres grands paysagistes hollandais ont ajouté une qualité dynamique aux tableaux représentant leur pays.

Esaias van de Velde : *Le Bac,* 1622

Bien qu'il soit impossible de faire remonter à un peintre unique la paternité de la peinture de paysage en Hollande, l'artiste auquel on peut le plus justement en attribuer le mérite est sans doute Esaias van de Velde. Van de Velde était un excellent dessinateur qui, très tôt, recourut à la couleur. La plupart de ses toiles se rattachent aux traditions de la peinture de genre, où prédominent les personnages et leurs activités. Dans l'œuvre reproduite ici, l'attention est concentrée sur le bac lourdement chargé, les flâneurs des berges et le chantier à bateaux où l'on s'affaire. L'attachement de van de Velde à ces éléments tenait probablement aux goûts conservateurs de ses clients qui ne concevaient pas un tableau sans personnages. Il a entrepris cependant par plaisir des compositions savantes. Jouant ici des trois éléments, la terre, le ciel et l'eau, il a su les réunir en une construction harmonieuse : la courbe gracieuse de la rivière donne à la toile sa profondeur, les grands arbres feuillus rompent la monotonie du ciel, tandis que le clocher et le moulin, coupant la ligne d'horizon, donnent son équilibre à l'arrière-plan.

Le Bac, dé

Jan van Goyen a élargi encore la conception de la vue panoramique : les personnages humains disparaissent presque complètement de ses tableaux qui sont de purs paysages. Peut-être sa contribution la plus originale a-t-elle été l'utilisation des diagonales en zigzags; dans le tableau ci-dessus, elles partent des deux côtés et entraînent l'œil de plus en plus loin. Van Goyen s'est aussi servi de la couleur pour

COLLECTION MENZO DE MUNCK, ZWOLLE

Jan van Goyen : *Le Phare*, 1637

donner le sens de la profondeur; les tonalités sombres du premier plan s'éclaircissent progressivement jusqu'à ce que la terre rejoigne le ciel. Et, bien que ses œuvres soient souvent monochromes, les variations des tons recréent de façon extraordinaire les changements de temps, au point de donner ici l'impression que l'artiste a peint le moment qui précède immédiatement une averse.

A travers les différences de style des paysagistes hollandais, deux manières fondamentales se dégagent — les larges vues panoramiques telles qu'en peignirent de Koninck et van Goyen, et les scènes intimes et soigneusement détaillées dont les trois tableaux ci-dessous de Meindert Hobbema offrent des exemples typiques. Élève du grand Jacob van Ruysdael, Hobbema a été de tous les paysagistes hollandais le plus étroitement spécialisé; il a peint perpétuellement la même ferme, le même moulin à eau couvert de tuiles, la même clairière tranquille; la différence de point de vue est parfois imperceptible. Ces

THE ART INSTITUTE OF CHICAGO, DON DE Mr. ET Mrs. FRANK G. LOGAN

Meindert Hobbema : *Le Moulin à eau au grand toit rouge*, 1670

RIJKSMUSEUM, AMSTERDAM

Meindert Hobbema : *Moulin à eau*, v. 1670

motifs simples paraissent lui avoir suffi, de même que ses innombrables démarquages de tableaux de Ruysdael. Ils ont dû satisfaire aussi les amateurs, car l'espace remarquablement composé, la perception de la lumière et de l'air et le coloris agréable de sa série des moulins à eau ont été très admirés et lui ont valu la plus large notoriété.

Par une ironie du destin, le chef-d'œuvre de Hobbema *(ci-dessous)*, que l'on a appelé « le chant du cygne de la grande époque du paysage hollandais », n'a rien à voir avec sa manière habituelle : il y a représenté une route droite qui s'enfuit, bordée de peupliers efflanqués.

Meindert Hobbema : *L'Avenue à Middelharnis*, 1689

RIJKSMUSEUM, AMSTERDAM

Jacob van Ruysdael : *Vue de Haarlem*, v. 1670

Jacob van Ruysdael est le plus grand des paysagistes hollandais, le seul qui ait pratiqué avec une égale maîtrise toutes les formes de la peinture de paysage, depuis les vastes panoramas jusqu'aux vues les plus intimistes et les plus délicates. Chaque fois que son pinceau touche la toile, c'est pour produire un chef-d'œuvre.

Son sujet de prédilection est sa ville de Haarlem qu'il représente toujours dans la chaleur et la plénitude de l'été. Le tableau ci-dessus, avec ses champs soigneusement cultivés, et au premier plan ses alignements de toiles blanchissant au soleil, est assez exceptionnel parmi les paysages hollandais du XVIIe siècle en raison de sa composition verticale : la plupart, même chez Ruysdael, ont une composition horizontale. Ici, au contraire, c'est le ciel qui domine : il occupe les deux tiers de la toile.

Effectivement, le trait le plus marquant peut-être de l'œuvre de Ruysdael est sa manière de traiter les ciels. Faute de trouver la véhémence de la nature dans les campagnes bien ordonnées qui s'étendaient sous ses yeux, il a cherché, pourrait-on croire, des éléments dramatiques dans l'espace. Il a en tout cas réussi, dans des tableaux comme celui de droite où dominent le ciel et les nuages, à extérioriser avec une maîtrise incomparable son sentiment de la grandeur de la nature. Cette qualité, qui l'élève bien au-dessus de tous ses émules, a conduit les grands paysagistes anglais du XIXe siècle John Constable et J.M.W. Turner à redécouvrir Ruysdael, à étudier ses techniques et à le prendre pour modèle.

Jacob van Ruysdael : *Le Moulin de Wijk bij Duurstede*, v. 1670

MUSÉE DU LOUVRE, PARIS

VI

A la découverte du « Sphinx de Delft »

La fin de la vie de Vermeer a dû passer aux yeux des habitants de Delft qui l'ont connu pour un lamentable échec. Il a accumulé dans ses dernières années les soucis et les revers et, quand il est mort en 1675, laissant une veuve et huit enfants mineurs, il était pratiquement sans le sou.

En fait, la situation était alors mauvaise pour tous en Hollande. En 1672, Louis XIV, qui enviait les Hollandais pour leur prospérité et convoitait les ports des bouches du Rhin, lança ses armées contre la république des Pays-Bas; en peu de mois, elles submergèrent presque tout le territoire. Cette invasion eut lieu à un moment où l'esprit d'initiative et l'énergie dont avaient fait preuve les Hollandais commençaient à se relâcher; leur économie naguère florissante connut un déclin brutal qui affecta toutes les activités du pays. Le gouvernement, pressé de toutes parts et à court d'argent, imposa successivement une taxe sur les ventes, la capitation, puis une taxe foncière; après quoi, les citoyens hollandais durent souscrire un emprunt forcé. Le commerce en souffrit, la prospérité s'évanouit; au milieu des malheurs du temps, le marché des œuvres d'art s'effondra.

C'est à peu près à cette époque que Vermeer fut sollicité de donner son avis sur une collection de tableaux vendue par un marchand hollandais à l'Électeur de Brandebourg. L'expertise de Vermeer fut défavorable au marchand et nous savons que ce dernier se plaignit ensuite amèrement du triste état de ses affaires, « vu que la valeur de toutes choses et spécialement des tableaux et autres objets rares a baissé et décliné de prix au cours de ces temps de calamité ». Le propos aurait pu s'appliquer aussi bien à toute la vie artistique des Pays-Bas.

Pour Vermeer, artiste et marchand d'œuvres d'art, la situation fut doublement cruelle. Divers documents indiquent qu'avec l'invasion, les revenus du commerce qui assurait sa subsistance se trouvèrent réduits presque à néant; dans un témoignage enregistré après la mort de Vermeer, sa veuve Catharina devait expliquer que, durant ses dernières années, Vermeer avait « été contraint de se séparer à son grand désavantage des œuvres qu'il avait achetées et dont il faisait commerce ».

Nous ignorons si ces revers de fortune en furent cause, mais c'est à cette époque, en 1672, que Vermeer abandonna sa maison de la place du marché pour une maison plus petite située dans une rue appelée Oude Langendijk, quelques pâtés de maisons plus loin. Ce déménagement dut

La jeune dentellière, enfermée dans l'univers de son travail, s'applique à sa tâche avec une concentration qui reflète sans doute l'application au travail de Vermeer lui-même. En la présentant en perspective et en brouillant les objets du premier plan, Vermeer a donné à cette toile, qui est un véritable joyau (elle est reproduite ici en vraie grandeur), une qualité saisissante d'intimité.

La Dentellière

ébranler profondément le peintre. Non seulement il avait toujours vécu à Mechelen, mais toutes ses œuvres y avaient, semble-t-il, vu le jour. Après son départ de Mechelen, il est probable qu'il ne peignit plus qu'un ou deux tableaux; peut-être même n'a-t-il plus rien produit.

Les armées françaises furent contraintes de se retirer en 1673 (une fois de plus les Hollandais avaient défendu leur pays en rompant les digues); mais la menace française reparut dans l'été 1675, et les habitants de Delft furent appelés à construire un rempart pour protéger leur ville. Vermeer était-il encore assez valide pour répondre à cet appel (qui d'ailleurs se révéla superflu puisque les armées françaises n'atteignirent pas Delft) ? Cela paraît improbable car, le 15 décembre, l'inscription suivante fut apposée sur le registre des décès de la Vieille Église : « Jan Vermeer, artiste de l'Oude Langendijk, [enterré] dans l'Église ». Une mention figure en marge : « Huit mineurs ».

Presque immédiatement, la bataille s'engagea entre la veuve de Vermeer et ses créanciers — qui ne trouvèrent que fort peu de choses dont ils pussent se saisir en dehors de quelques douzaines de tableaux. Quelques-uns de ceux-ci étaient dus à d'autres artistes, mais 29 étaient l'œuvre de Vermeer lui-même : il s'agissait de toute évidence de tableaux pour lesquels il n'avait pas trouvé d'acheteurs de son vivant.

Catharina tenta de conserver les œuvres de son mari. En janvier 1676, elle comparut devant un notaire avec un boulanger, un nommé Hendrick van Buyten, qui détenait deux tableaux de Vermeer en gage contre une note de pain de plus de 600 florins. Van Buyten accepta de rendre les tableaux moyennant le paiement d'un acompte qui devait être complété par des annuités de 50 florins.

Le fait que le boulanger ait permis aux Vermeer d'accumuler une dette aussi importante s'explique probablement parce que la belle-mère de Vermeer était une propriétaire aisée qui pouvait passer pour leur caution. Elle avait été en mesure de prêter à Vermeer 1 000 florins quelques mois avant sa mort; c'était là une autre dette que Catharina eut à rembourser. Elle le fit en cédant par contrat écrit à sa mère le tableau intitulé *le Peintre dans son atelier* *(pages 164-167)* et, ce qui avait sans doute plus de prix à l'époque, la moitié du revenu d'une terre qu'elle possédait près de Rotterdam.

Mais ses moyens ne furent pas suffisants pour mettre un terme aux poursuites. En avril 1676, Catharina se déclara en faillite; un inventaire de tout ce que contenait la maison fut dressé et un administrateur des biens fut désigné. Ce fut Anton van Leeuwenhoek, savant et pionnier de l'usage du microscope, qui allait devenir quatre ans plus tard membre associé de la Royal Society de Londres pour ses travaux de microscopie. En 1676 cependant, il vivait d'une charge d'employé auprès de l'huissier municipal de Delft et c'est en cette qualité qu'il s'occupa des affaires de Vermeer. Plusieurs historiens ont imaginé une relation entre Vermeer, le maître de la lumière, et Leeuwenhoek, un des maîtres de l'optique, mais rien ne prouve qu'ils aient été liés d'amitié; en fait, l'attitude de Leeuwenhoek dans son rôle d'exécuteur judiciaire semble avoir été bureaucratique et empreinte de peu de sympathie.

Lors de la vente qui suivit la déclaration de faillite, une marchande nommée Jannetje Stevens réussit à faire saisir 26 tableaux de Vermeer à titre de gage pour une dette de 500 florins correspondant à des « produits d'épicerie fournis ». Catharina contesta la saisie et le montant de la dette; il fut convenu que, moyennant un paiement immédiat de 342 florins, les tableaux lui seraient restitués. Mais les documents d'archives, si

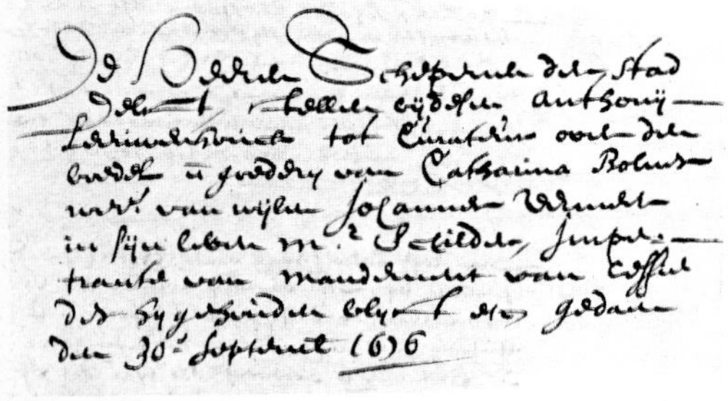

ARCHIVES MUNICIPALES DE DELFT

Cette note extraite des archives publiques de Delft est un des rares documents qui nous livrent des repères précis concernant l'existence de Vermeer. C'est la décision par laquelle les échevins de la ville nomment le grand microscopiste Anton Leeuwenhoek liquidateur judiciaire de la banqueroute de Catharina Bolnes, veuve de Vermeer. Elle est datée du 30 septembre 1676, soit un an après la mort de l'artiste. Les noms des deux hommes s'étaient déjà trouvés réunis une première fois sur une autre page du registre communal de Delft : celle où avait été enregistrée leur naissance, en 1632.

complets sur d'autres points, ne précisent pas si elle les récupéra jamais.

Le printemps suivant, une autre œuvre de Vermeer fut menacée. Leeuwenhoek ordonna la vente après faillite du *Peintre dans son atelier ;* il avait vraisemblablement refusé de reconnaître comme légal le transfert du tableau à un autre membre de la famille. La mère de Catharina protesta vigoureusement, mais Leeuwenhoek refusa de suspendre la procédure. Ici encore, les archives, ne nous livrent pas la fin de l'histoire; elles ne précisent pas si le tableau fut effectivement vendu.

C'est à peu près tout ce que nous savons des batailles que livra Catharina Vermeer pour défendre sa famille et l'œuvre de son mari. Sa situation dut préoccuper sa mère, car celle-ci lui légua par testament une annuité de 486 florins, à payer mensuellement ou trimestriellement, considérant, écrivait-elle, « que sa fille ne reçoit peut-être pas suffisamment de victuailles ». Catharina mourut en 1687, et à son enterrement douze personnes tenaient les cordons du poêle, marque de considération qui donne à penser qu'elle n'était pas misérable. Depuis la mort de son mari, trois autres de ses enfants avaient dû atteindre leur majorité, car le registre des décès mentionne qu'elle laisse cinq enfants mineurs. Nous n'en savons guère plus de la famille Vermeer.

Le destin des tableaux de Vermeer est mieux connu — bien qu'ici encore les documents d'archives soient fâcheusement incomplets. Neuf ans après la mort de Catharina, 21 tableaux de Vermeer figurent dans le catalogue d'une vente aux enchères à Amsterdam au cours de laquelle sont dispersées 134 œuvres d'artistes différents. Il n'est pas impossible que les œuvres de Vermeer aient appartenu à un collectionneur de Delft qui y aurait vu un investissement. La mise à prix moyenne des 21 Vermeer fut de 70 florins — approximativement 1 300 francs ; la plupart d'entre eux sont accompagnés sur le catalogue de mentions destinées à encourager les acquéreurs éventuels, telles que « très bon tableau », « excellent tableau », ou « peint avec beaucoup d'art et de puissance ».

Ce fut le dernier rassemblement dans l'histoire d'un si grand nombre de Vermeer en un même lieu. Pour les historiens de l'art, le principal intérêt de la vente d'Amsterdam réside dans les descriptions des 21 tableaux qu'en donne le catalogue, car celui-ci constitue une des seules bases historiques solides dont ils disposent pour déterminer quels tableaux sont de Vermeer ou ne le sont pas. Certaines descriptions sont trop vagues pour être utiles et quelques-uns des tableaux ont disparu. Mais, sur le total des 21 toiles, 13 sont aujourd'hui identifiées avec une certitude à peu près totale. Sans cette vente aux enchères, nous ne disposerions d'aucun document d'archives concernant les tableaux de Vermeer, car près de deux cents ans allaient s'écouler avant que son œuvre attire mieux que l'attention passagère du public.

On peut suivre l'histoire de quelques-uns de ces tableaux à travers les années sombres : ils changent généralement de main sous l'étiquette de Metsu, de Hooch ou de Terborch, et souvent pour des sommes dérisoires. Des voix isolées s'élèvent occasionnellement pour faire l'éloge de Vermeer. Le peintre anglais Reynolds mentionne *la Laitière* comme un des tableaux qu'il a préférés au cours d'un voyage en Hollande en 1781; au XIXe siècle, les frères Edmond et Jules de Goncourt, romanciers et critiques d'art, consacrent dans leur journal une mention élogieuse au même tableau et qualifient Vermeer de « maître diablement original ». Mis à part ces appréciations exceptionnelles, Vermeer connaît une éclipse presque totale au cours du XVIIIe et de la plus grande partie du XIXe siècle et même les ouvrages d'érudition les plus détaillés qui aient été consacrés à cette époque en Hollande aux maîtres de l'Age d'or ne lui réservent aucune place.

C'est en 1866 que Vermeer commence brusquement à recevoir la consécration qui lui est due. Le mérite en revient à un personnage étonnant, journaliste, photographe et révolutionnaire, du nom d'Étienne Joseph Théophile Thoré, qui écrivait sous le pseudonyme de William Bürger (*Bürger* veut dire en allemand « citoyen »). Thoré-Bürger, comme on l'appelle le plus souvent aujourd'hui, était passionné d'art et, au cours d'un voyage en Hollande, en 1842, il avait été profondément impressionné par une toile intitulée *Vue de Delft* et attribuée à « Jan van der Meer de Delft ». Elle était exposée dans un musée de La Haye parmi des douzaines d'autres tableaux du XVIIe siècle. « Eh bien ! voilà quelqu'un que nous ne connaissons pas en France et qui pourtant mérite fort d'être connu ! » nota Thoré-Bürger.

Thoré-Bürger consacra par la suite une bonne partie de sa vie à Vermeer et s'attacha à le faire connaître. Proscrit en France en 1849 pour ses activités révolutionnaires, il ne cessa pendant ses dix années d'exil de hanter les musées d'Angleterre, de Hollande, d'Allemagne et de Belgique, en quête d'œuvres de Vermeer, qu'il appelait « Le Sphinx ». Chaque tableau qu'il identifiait augmentait son admiration pour Vermeer et, quand c'était possible, il l'achetait ou poussait un ami à l'acheter. Il n'avait pas les moyens de constituer lui-même une véritable collection, car ses biens avaient été confisqués à la suite de sa condamnation; néanmoins, il posséda à un moment ou à un autre au moins cinq Vermeer, et un bien plus grand nombre passa entre ses mains.

Usant de ses connaissances de photographe, Thoré-Bürger fut le premier à utiliser les photographies des œuvres d'un maître connu comme un instrument de documentation; il correspondit avec les critiques et les conservateurs susceptibles de l'aider dans ses recherches; il déploya surtout son propre jugement et son énergie. Son zèle de détective le conduisit à identifier au total comme des Vermeer plus de 70 tableaux, dont 50 qu'il avait vus lui-même. Depuis cette époque, un siècle de recherches a prouvé qu'un bon nombre de ces tableaux devaient être attribués à d'autres peintres et a révélé quelques Vermeer que Thoré-Bürger n'avait pas trouvés. Mais, sur le petit nombre des Vermeer incontestés aujourd'hui, les deux tiers ont été identifiés par lui.

Thoré-Bürger présenta ses opinions et ses découvertes sur Vermeer dans une série d'articles, puis dans un petit livre paru en 1866. L'enthousiasme de l'auteur, exprimé avec éloquence, se communiqua à un milieu artistique qui commençait précisément à s'écarter de la peinture traditionnelle et à concevoir des idées esthétiques nouvelles — et où l'on était, par conséquent, plus ou moins préparé à apprécier Vermeer pour ses propres mérites.

On commença soudain à prêter attention au Maître de Delft. Des marchands qui vendaient des Vermeer pour des Terborch ou des de Hooch changèrent leurs batteries et se mirent à vendre pour des Vermeer des tableaux qui n'étaient pas de lui. Les prix montèrent; les musées en vinrent à attacher un tel prix à leurs Vermeer que les transactions sur ses œuvres ont presque complètement cessé. A l'heure actuelle, aucune œuvre incontestée de Vermeer n'a été vendue aux enchères publiques depuis cinquante ans et quatre seulement sont la propriété de particuliers. L'une d'entre elles, la *Tête de jeune fille,* acquise en 1955 pour la collection de Mr. et Mrs. Charles Wrightsman, aurait été payée 350 000 dollars.

Bien que la qualité de l'art de Vermeer ne soit plus guère contestée, on continue à discuter avec passion à la fois l'authenticité et les dates de certaines des œuvres qui lui sont attribuées. Les questions de chronologie et d'attribution sont particulièrement délicates dans le cas des premières œuvres de Vermeer, que l'on considère généralement comme étant *le Christ dans la maison de Marthe et de Marie (page 168)* et *Diane et ses nymphes*. On les date ordinairement de 1654 et 1655. Ni l'une ni l'autre ne figure au catalogue de la vente de 1696. Quand la *Diane et ses nymphes* sortit de l'ombre en 1876, elle portait la signature de Nicolaes Maes; par la suite, un nettoyage révéla une signature plus ancienne, J. vMeer. La signature Vermeer fut découverte sur le *Christ dans la maison de Marthe et de Marie* en 1901. La *Diane* et le *Christ* sont considérés maintenant comme des Vermeer authentiques par la plupart des critiques.

Quelques-uns pourtant en disconviennent. Ces opinions divergentes sont fondées sur les différences qui séparent ces deux toiles du reste de l'œuvre de Vermeer — différences évidentes au premier coup d'œil. Le critique hollandais P.T.A. Swillens a souligné certains des caractères de ces œuvres qui sont fort éloignées de Vermeer : leurs sujets religieux ou allégoriques, le traitement dramatique des lumières et des contrastes proche du caravagisme, l'absence de tout décor d'intérieur dans le *Christ dans la maison de Marthe et de Marie*. Swillens suggère que le *Christ* serait l'œuvre d'un peintre peu connu, mais qui a été identifié, du nom de Jan van der Meer d'Utrecht, et a émis l'hypothèse que la *Diane* aurait pu être peinte par le propre père de Vermeer.

En sens inverse, les éléments si peu caractéristiques de Vermeer qu'on relève dans ces deux toiles s'expliquent, si l'on admet qu'elles sont des œuvres de jeunesse du peintre, exécutées avant qu'il n'élabore le style original de ses années de maturité. Au surplus, le coloris brillant des deux tableaux peut préfigurer la maîtrise ultérieure de la couleur qui est le propre de Vermeer et, dans la *Diane*, les visages des jeunes filles ont des expressions tendres et rêveuses qui sont assez dans sa manière. Tout compte fait, il paraît raisonnable de se rallier à l'avis des critiques qui tiennent le *Christ* et la *Diane* pour ses toutes premières œuvres connues.

On a avancé l'idée que Vermeer, ayant assimilé le style italien de l'école d'Utrecht, aurait décidé de ne pas entrer en concurrence avec des maîtres qui s'étaient imposés, et qu'il se serait orienté dans une autre voie. Mais peut-être n'a-t-il peint ces premiers tableaux que par une sorte de défi, pour prouver qu'il en était capable, avant de s'écarter d'un art qui faisait prime sur le marché et d'élaborer le style personnel et serein qui est la marque de ses chefs-d'œuvre.

Dans ce qui est probablement sa toile suivante, *Chez l'entremetteuse (page 65)*, Vermeer se rapproche du style de sa maturité, mais on peut encore y relever certains reflets de l'art contemporain. *Chez l'entremetteuse* est un tableau de genre d'un type familier, d'un goût aussi profane que ceux de Baburen ou de Terbrugghen. Il est peint avec plus de brio et son sujet transparent lui a sans doute conféré plus d'attrait, aux yeux des amateurs de l'époque, que la plupart des œuvres ultérieures de Vermeer. Cependant, le visage de la jeune femme a le rayonnement intérieur de tous les personnages féminins de Vermeer; avec des modifications mineures, on le retrouvera dans plusieurs autres de ses toiles.

Il est raisonnable de penser que le modèle qui a posé pour la jeune femme de *Chez l'entremetteuse* — et pour le personnage féminin qui lui ressemble des tableaux ultérieurs — est la propre femme de Vermeer, Catharina. Vermeer était pauvre, il travaillait si lentement qu'il est douteux qu'il ait pu faire les frais d'un modèle professionnel. Au surplus, le visage de la jeune femme est peint avec un mélange de douce admiration, d'amour et de sensualité qu'un homme ne peut ressentir que devant une femme qu'il connaît intimement. L'attitude de Vermeer à l'égard des femmes a souvent été mal comprise. Des observateurs hâtifs ont tiré de ses tableaux l'impression que les femmes y étaient peintes par un artiste aussi froidement réaliste que pouvaient l'être les marchands d'épices hollandais et les armateurs de son entourage. Mais une étude plus attentive montre que Vermeer, loin d'être un esprit glacé, contemplait les femmes avec une admiration tendre et presque de l'adoration; comme un expert a pu l'écrire, son thème le plus cher est « le caractère sacré de la femme à qui l'on doit une maison heureuse et ordonnée ».

Cette manière de traiter le personnage féminin est une des clés de l'art de Vermeer. Durant sa grande période de création, il renonce presque complètement aux sujets extérieurs pour se consacrer presque entièrement à ces images de jeunes femmes. Il y a des exceptions — principalement la *Vue de Delft* et *la Ruelle,* qui figurent l'une et l'autre parmi ses chefs-d'œuvre. Dans une brève période finale, ses tableaux deviendront plus complexes et, dans certains cas, allégoriques. Mais, pendant la décennie qui commence en 1658 et où il a produit la plupart de ses œuvres les plus admirables, il est fasciné par la vision d'une jeune femme ou d'une jeune fille tantôt seule, tantôt dans des activités domestiques variées.

Il y a bien entendu davantage dans les œuvres de Vermeer que de simples portraits de femmes. A maintes reprises, des critiques ont évoqué la perle comme le symbole parfait de son œuvre et ce rapprochement ne tient pas seulement à l'éclat nacré des jeunes filles qu'il a peintes, ni à ce que beaucoup d'entre elles portent des perles aux oreilles ou quelque autre bijou orné d'une perle. Ses tableaux eux-mêmes suggèrent l'image de la perle. Chacun d'eux est un monde parfait, clos sur lui-même, secret, doucement éclairé, plein d'éclat. Au XXe siècle, un peintre et critique hollandais, Jan Veth, a noté que la matière de la peinture de Vermeer semble faite de perles écrasées et fondues.

Une analyse poussée des œuvres de Vermeer donne quelques indices de la manière dont il a pu obtenir ces effets presque magiques. L'élément essentiel est sa maîtrise de la lumière. Vermeer est allé plus loin que ses contemporains dans la compréhension de la lumière et il a inventé de nouvelles techniques pour la traiter. On peut comparer son effort au combat mené deux siècles plus tard par Paul Cézanne pour dépasser le naturalisme et l'impressionnisme. Cézanne a voulu pénétrer sous l'apparence de la nature pour atteindre sa structure interne. De même, Vermeer a porté le réalisme superbe de l'art hollandais à un niveau plus élevé encore, en conciliant les tendances artistiques divergentes dont ses contemporains se trouvaient encore prisonniers.

Ces tendances divergentes portaient sur le traitement de la couleur et de la perspective, de la lumière et de l'ombre. Ainsi la perspective aérienne, souvent utilisée par les paysagistes pour donner l'illusion de la profondeur, conduisait à estomper l'éclat des couleurs jusqu'à ce que l'arrière-plan devienne presque monochrome. Inversement, dans beaucoup de tableaux du XVIIe siècle, un véritable combat se livre entre la lumière et les ténèbres : les ombres sont accentuées pour faire paraître la lumière plus éclatante. Cette technique a été utilisée par Rembrandt, qui a souvent donné une vigueur exceptionnelle au centre de ses tableaux en plongeant leur périphérie dans la pénombre.

Le miracle de Vermeer est d'avoir réussi à résoudre ces conflits tout en restant dans le cadre de l'art de son époque. Il a su exprimer la profondeur sans sacrifier l'éclat du coloris. Il a figuré l'espace avec des modulations incroyablement nuancées de couleurs, partant de tonalités sombres et pourtant lumineuses dans les coins, qui deviennent plus vives et plus intenses dans les zones éclairées, jusqu'à capter enfin l'éclat du jour lui-même. Il a souvent accentué cet effet de ruissellement lumineux, grâce à d'éblouissantes petites touches de peinture, ou pointillés, qui paraissent à distance faites de lumière.

Pour ombrer une surface bleue, Vermeer ne peint pas du brun sur le bleu comme la plupart de ses contemporains, mais il recourt à un autre ton de bleu, puis à un autre encore — chacun minutieusement différent. Ces nuances expliquent les subtiles différences de ton de chaque surface — différences qui dépendent de la matière, de la forme et de la distance de la fenêtre ou du reflet le plus proche.

Les ombres elles-mêmes sont toujours des variations de couleurs — elles ne sont jamais noires ou simplement brunes. Vermeer savait que toutes les ombres sont colorées, de même qu'il avait compris que la lumière blanche n'est jamais complètement blanche. Dans une analyse exhaustive de la technique de Vermeer, Swillens a étudié les murs blancs peints par Vermeer, en commençant par cacher soigneusement les objets qui les entourent. Il a trouvé que, bien qu'ils soient apparemment blancs, chaque nuance de la matière des murs, chaque modification subtile de l'intensité et de la tonalité lumineuse avaient été rendues par des variations presque innombrables de couleurs — de toutes les couleurs qui existent en fait dans la couleur blanche.

La sûreté de main, l'acuité de vision qu'exigent de tels effets passent notre compréhension. On s'interroge encore sur la technique exacte de Vermeer. Plusieurs spécialistes modernes pensent qu'il a pu se servir d'un instrument pourvu de lentilles tel qu'une chambre noire primitive, capable non seulement de faire apparaître clairement la perspective, mais aussi de diffuser subtilement les couleurs de la scène qu'il avait sous les yeux, de la même façon que se mêlent les couleurs de ses toiles.

Qu'il se soit aidé ou non d'un auxiliaire d'optique, il est clair que Vermeer a su voir le monde en lumière et en couleurs mieux qu'aucun de ses contemporains et qu'il eut un talent inégalable pour enregistrer à l'aide de ses pinceaux ce qu'il voyait. Vermeer a déployé dans sa peinture un effort infini, passant des mois sur chaque œuvre. Comme Swillens l'a découvert en analysant ses tableaux, les toiles de Vermeer sont pleines de nuances techniques aussi délicates que celles qui sont dues à « l'orientation d'un coup de pinceau, à une légère pression sur les poils du pinceau, à une différence indéfinissable d'ombre et de couleur, à une petite surface lisse jusqu'à en paraître polie... Chaque couche de peinture, limitée parfois au strict minimum, aussi peu épaisse bien souvent qu'un mince voile de soie, a ses côtés d'ombre et de lumière et donne à toute la surface une impression d'impalpable luminosité ».

En réussissant cette alchimie merveilleuse, Vermeer a surmonté un autre contraste de l'art de son siècle. Il a combiné le rendu méticuleux du détail d'un Gérard Dou avec le génie d'un Frans Hals pour saisir l'esprit d'un instant; bien que ses tableaux soient le produit d'une patience et d'une application infinies, ils semblent capturer l'essence fugitive de la lumière. On a dit que Vermeer avait surmonté la réalité comme l'oiseau surmonte la pesanteur. Avec une apparente absence d'effort, il a saisi un instant de la réalité et l'a affranchi du réalisme statique pour le préserver dans son monde dynamique de l'espace, de la lumière et de la couleur.

Un virtuose de la lumière

Vermeer, en utilisant les mêmes thèmes — et beaucoup des mêmes accessoires — que bien d'autres peintres de son temps, a créé des œuvres d'art si complètement différentes des leurs, si exclusivement liées à son génie qu'il constitue un cas unique non seulement au XVIIe siècle, mais dans l'histoire de la peinture moderne. Le miracle de ces œuvres est qu'elles ne se contentent pas d'être ravissantes ou d'exprimer les grâces du passé, elles continuent de vivre, comme si chacune d'entre elles était une fraction de seconde empruntée à l'éternité.

A la différence d'autres peintres de genre, Vermeer n'avait ni véritable anecdote à conter, ni morale à enseigner. Il ne semble pas davantage avoir été particulièrement imaginatif. Son but était simple et il le concevait avec simplicité — c'était d'extraire la beauté de ce qui est usuel, particulier et même banal. Avec la précision d'une projection d'optique, il a transféré sur sa toile l'univers d'une chambre emplie de soleil. Pour Vermeer, la lumière est le pinceau de la nature : elle ne définit pas seulement la forme des choses, elle répand aussi sur elles leurs couleurs. Aussi l'approche-t-il avec révérence. Il peint sans bouger le bras ni la main, au moyen de mouvements précis des doigts, mêlant ses couleurs d'une façon si égale qu'elles ont l'intensité des tons qui s'inscrivent sur le fond de verre d'une chambre noire et il les applique en couches si minces qu'elles couvrent sa toile à la façon d'un émail. A l'aide de pareilles techniques, il saura, comme dans le tableau lumineux de la page ci-contre, faire rayonner le sentiment profond de sérénité qui est la marque de son œuvre.

Une jeune fille ajuste sa parure de perles et se regarde dans un miroir; la lumière qui filtre à travers la fenêtre l'enveloppe et la transfigure. A cette minute de coquetterie apparemment fortuite, Vermeer a mêlé, comme en transparence, le sentiment de la vanité et de la brièveté des biens de ce monde.

Le Collier de perles

STAATLICHE MUSEEN : GEMÄLDEGALERIE, BERLIN OUEST

Pieter de Hooch : *Femme trinquant avec deux gentilshommes*

Dès le départ, Vermeer paraît destiné à s'élever au-dessus de ses émules. Même dans le tableau de jeunesse encore maladroit de la page ci-contre, où il a voulu rivaliser avec le style et le caractère anecdotique d'un peintre de genre à la mode tel que Pieter de Hooch, il fait preuve de qualités qu'on chercherait en vain chez son modèle. On y trouve avant tout cette lumière qui devait devenir sa passion dominante. Elle coule de la croisée, se répand autour des trois personnages, s'attarde sur les manchettes et les dentelles et fait des simples objets posés sur la table une nature morte d'une fraîcheur si éclatante qu'elle éclipse les défauts d'exécution de l'œuvre. Pieter de Hooch, qui dans la scène d'intérieur reproduite sur la page voisine, groupe également

La Jeune fille au verre de vin

ses personnages autour d'un verre de vin, a lui aussi le souci de la lumière, mais ce qui l'intéresse est d'abord de construire un espace où il installera ses personnages à la façon d'acteurs qui ont une pièce à jouer. De Hooch semble parfaitement à l'aise dans son rôle de conteur, Vermeer aucunement. Vermeer nous présente l'anecdote de la jeune fille courtisée avec un sérieux qui confine à la gaucherie puis, comme pour compenser son manque de naturel à peindre une telle scène, il se retourne vers les objets qui l'attirent le plus — la fenêtre, le pichet de vin, la lumière réfléchie sur le verre, le scintillement des clous de cuivre sur une chaise espagnole — et c'est dans ces objets visiblement qu'il a mis le plus de lui-même.

La Laitière

A quoi tient la fascination de la lumière de Vermeer ? Ce n'est après tout que la lumière ordinaire du jour. Mais, comme l'a souligné le critique d'art sir Kenneth Clark, peu d'artistes se sont souciés de reproduire dans leurs œuvres cette lumière ordinaire, peut-être parce que ses tons sont froids et manquent de chaleur. Moins nombreux encore sont ceux comme Vermeer qui, selon l'expression de Clark, ont fondé une harmonie « sur le bleu, le gris, le blanc et le jaune pâle, éclairés par une fenêtre donnant sur le nord ».

La lumière de Vermeer — comme on le voit sur le tableau ci-dessus — se diffuse de façon égale à travers l'espace; elle crée ainsi avec une sorte de sûreté infaillible ses propres motifs là où elle se fixe, révélant la contexture des étoffes, du pain et de l'osier, et soulignant jusqu'à la trace laissée par des clous sur le mur blanchi. Quand elle baigne les objets et leur donne forme, elle rend superflu le tracé des contours. La jeune femme que voici est définie par la lumière : elle se dresse comme dans un halo lumineux. Ses poignets bleus et les plis de son tablier vibrent, sa coiffe et son col blanc rayonnent, et l'on retrouve dans les plis d'ombre de sa jupe, en tonalités plus profondes, les mêmes couleurs froides auxquelles l'ensemble du tableau doit sa discrétion, mais aussi sa richesse.

La Laitière, d

BUCKINGHAM PALACE, LONDRES

Le Couple à l'épinette

Une autre qualité frappante des tableaux de Vermeer est l'ordre parfait qui y règne. Dans la scène que voici, tout est à sa place; les meubles et les objets sont disposés avec tant d'art que la pièce paraît beaucoup plus grande qu'elle ne l'est. Utilisant pleinement son aptitude à voir les choses à la fois en surface et en profondeur, Vermeer a créé dans des œuvres comme celle-ci une harmonie totale.

Cet ordre sans défaut joint à ce goût de la perspective a intrigué les historiens de l'art. L'écrivain hollandais P.T.A. Swillens, par exemple, analysant les tableaux de Vermeer, a cru possible d'en déduire les dimensions réelles des pièces. Il a relevé les mesures des scènes d'intérieur et il a découvert que, loin d'utiliser plusieurs pièces pour cadre de ses tableaux, Vermeer n'avait dû travailler que dans deux — celles que l'on

STADELSCHES KUNSTINSTITUT, FRANCFORT

Le Géographe

voit ici. Mais il leur a donné une infinie variété en jouant des effets de lumière, en déplaçant les objets et les meubles et en y disposant des rideaux et des draperies.

Une telle analyse éclaire de façon passionnante les méthodes de composition de Vermeer, mais elle conduit aussi à se poser plusieurs questions singulières. L'une est de savoir comment Vermeer, après une œuvre de début encore aussi mal assurée que *Chez l'entremetteuse* *(page 65)*, est parvenu en aussi peu de temps à une telle maîtrise de la perspective. Une autre question plus déroutante peut-être est de comprendre pourquoi l'angle de prise de vue — ou plus exactement le point d'où Vermeer a observé la scène située devant lui — se situe non pas au niveau des yeux d'un spectateur assis ou debout mais, comme le montrent clairement ces deux tableaux, au niveau du rebord des fenêtres.

COLLECTION FRICK, NEW YORK

Le Cavalier et la jeune fille riant

GALERIE ROYALE DE PEINTURE, « MAURITSHUIS », LA HAYE

Vue de Delft (détail à gauche)

Un aspect de la peinture de Vermeer a contribué à convaincre les spécialistes qu'il s'était effectivement servi d'une chambre noire, c'est sa manière originale de traiter le jeu de la lumière sur des surfaces complexes. Dans la *Vue de Delft* comme dans la *Jeune fille à la flûte*, il fait littéralement étinceler la lumière. Un examen plus approfondi révèle que les zones scintillantes correspondent à de petites touches granulées de peinture, des « pointillés », semblables aux points lumineux, flous et entremêlés apparaissant sur une photographie dont l'objectif n'a pas été réglé et que les photographes appellent des « cercles de diffusion ». Si tel est le cas, comment Vermeer aurait-il pu les observer dans la nature, alors qu'ils correspondent à un phénomène qui n'est pas visible à l'œil nu ? En revanche, il aurait pu les voir dans l'image imparfaite captée par les lentilles primitives d'une chambre noire. Ce serait une des marques du génie de Vermeer d'avoir su tirer parti de ces perles dansantes de lumière pour en faire les pointillés qui illuminent ses toiles, au point que les rayons du soleil y semblent pris au piège.

NATIONAL GALLERY OF ART, WASHINGTON, D.C. COLLECTION WIDENER

Jeune fille à la flûte

L'hypothèse selon laquelle Vermeer se serait servi d'une chambre noire a été récemment soumise à une série d'expériences par le professeur Charles Seymour, du département d'Histoire de l'art de Yale. Il a tenté une comparaison entre la peinture de Vermeer et la photographie, en recherchant notamment quels étaient les effets picturaux de l'artiste qui pouvaient être produits par une chambre noire. Seymour prit, par exemple, une chambre noire visionneuse du XIXe siècle du modèle le plus ancien dont il put disposer et il la plaça à environ 75 cm de quelques accessoires soigneusement choisis, une chaise au dossier orné de têtes de lion, un morceau de velours drapé et un pan de tapisserie. Ils apparurent sur l'écran sous un aspect étroitement comparable à celui qu'ont les objets et les étoffes similaires dans la *Jeune fille au chapeau rouge* de Vermeer *(à droite)*. Sur la tête du lion brillaient des « cercles de diffusion » et la contexture floue du velours était accusée à toutes les distances, sauf à distance moyenne, par l'effet d'une mise au point approximative à travers des lentilles non corrigées; même la qualité de la lumière et les tonalités des coloris semblaient le reflet de celles de Vermeer. Mais, quand on prit une photographie pour enregistrer le reflet de ces effets d'optique sur un miroir de métal poli *(ci-dessous)*, on reconnut qu'il y manquait un élément capital — la vision sélective de l'artiste. Le secret de Vermeer n'est pas d'avoir utilisé une chambre noire, mais de s'en être si bien servi — comme point de départ d'une création artistique et non comme une fin en soi.

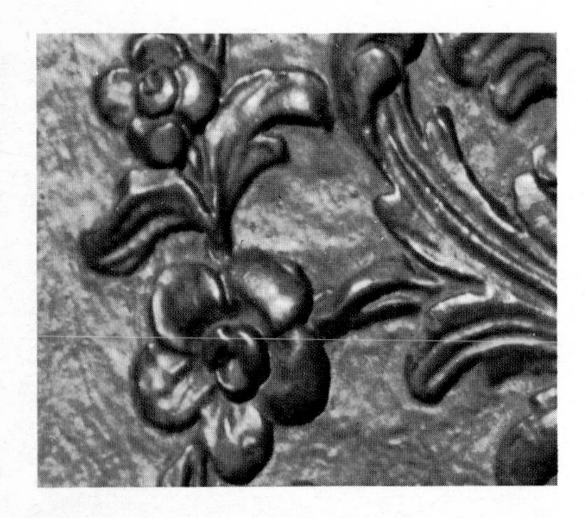

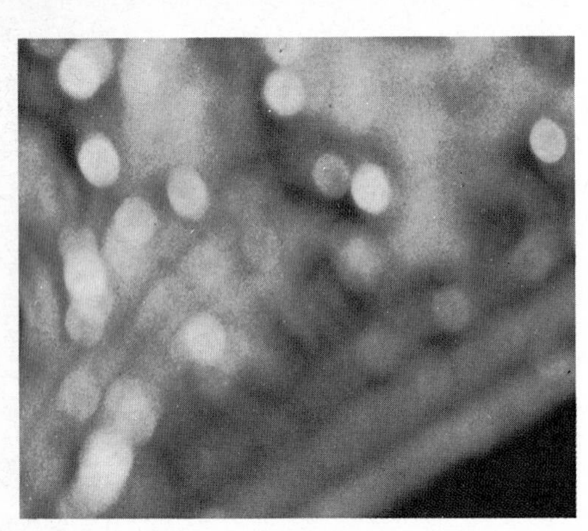

Quand la mise au point est précise, les fleurs sculptées apparaissent distinctes *(en haut)* ; au contraire, quand l'image est recueillie à quelque distance du foyer des lentilles, les fleurs brillent et sont couvertes de « cercles de diffusion ». Dans la photographie de droite, obtenue avec une mises au point approximative, la gueule de lion reproduit le jeu de lumière des mufles de lion du tableau de la page de droite.

Jeune fille au c

GEMAELDEGALERIE, DRESDE

VII

Un art paisible et souverain

La biographie de Vermeer nous livre quelques indications; l'analyse de sa technique nous fascine : le meilleur moyen de le comprendre est de contempler ses tableaux. Les plus beaux, qu'il peignit pendant les dix ou douze années de sa grande période créatrice, ne sont pas plus de vingt-cinq. Ils ont, à l'image de l'artiste lui-même, quelque chose de réservé et d'énigmatique qu'on ne saurait complètement déchiffrer. Ils révèlent pourtant à qui les étudie certains aspects de l'homme et de son œuvre : l'évolution subtile de son art vers la simplicité et la plénitude, la place croissante que tiennent dans ses préoccupations les femmes et les jeunes filles qui vivent à son foyer, l'amour qu'il porte à sa ville de Delft — et peut-être quelques signes ultimes de fléchissement dans son inspiration. Mais, surtout, on y apprend à mieux scruter le rayonnement de ses couleurs, sa maîtrise étrange de la lumière, l'équilibre impeccable de la composition, ainsi que la sérénité envoûtante qui en émane. Bref, devant les tableaux de Vermeer, on comprend ce qui est chez lui essentiel.

Un des traits les plus frappants, lorsqu'on examine les chefs-d'œuvre de sa grande époque, est la faible trace que le passage du temps y a laissée. Bien rares sont les peintres qui se sont imposés après une période de tâtonnement aussi brève. Il en est de son génie comme de ses œuvres, il se manifeste sans que rien ne décèle comment il s'est formé.

Pourtant, un examen attentif révèle quelques indices de la maturation de l'homme et du peintre. Considérons deux toiles traitant le même sujet : la *Femme à la lettre (page 144)* et la *Dame en bleu lisant une lettre (page 160)*. La première passe pour une œuvre de jeunesse qu'il aurait exécutée vers 1658; on date habituellement la seconde de 1664-1665. Cette chronologie repose notamment sur la comparaison de leurs couleurs : le premier tableau a des couleurs chaudes, des bruns et des rouges associés à leur couleur complémentaire, le vert (au XVIIIe siècle, le musée de Dresde, où il est toujours exposé, l'attribuait à Rembrandt); au contraire, le second présente les dominantes bleu argent et jaune vif caractéristiques de la grande époque de Vermeer, la décennie 1660.

Une preuve plus convaincante de l'écart de temps qui sépare les deux tableaux est la simplicité classique de la *Dame en bleu*, comparée à l'œuvre antérieure. Dans la *Femme à la lettre*, Vermeer a rempli artificiellement la pièce pour créer le décor : un rideau gris bronze est tiré vers la droite

Augurant sa grandeur future, cette œuvre de jeunesse de Vermeer contient un thème que l'artiste utilisera dans plusieurs de ses chefs-d'œuvre : il s'agit de la lecture d'une lettre. Pour la première fois, il a fait usage d'un subterfuge, dont il se servira souvent par la suite, pour traduire l'effet de profondeur — un rideau dont les plis tombent de façon trompeuse parallèlement au plan du tableau.

Femme à la lettre

afin de laisser apparaître le personnage; à gauche, un rideau rouge est drapé sur le vantail ouvert de la fenêtre; au premier plan, un tapis d'Orient et une coupe de fruits permettent de mesurer la profondeur et l'espace. A l'intérieur de ce cadre, les contrastes de couleurs sont nombreux : les manches dorées de la femme font ressortir sa robe sombre; l'éclat du rideau gris bronze équilibre le cadre sombre de la fenêtre.

En comparaison, la *Dame en bleu* est peinte avec une économie de moyens étonnante. Un morceau d'espace découpé arbitrairement nous est livré aux côtés de la femme, les accessoires sont réduits au minimum : deux chaises, un coin de table couvert d'une étoffe et une carte murale en arrière-plan. Les couleurs sont choisies dans la gamme froide; seul le mur qui réfléchit la chaude lumière du jour tranche avec éclat. Avec ce décor simplifié et ces tonalités discrètes, Vermeer a créé une œuvre dont la force d'introspection et la tendresse nous satisfont tout autrement que la *Femme à la lettre*, pourtant bien plus complexe. Cette évolution subtile révèle clairement le cheminement de l'artiste.

A l'exception de deux tableaux, *Chez l'entremetteuse* et *l'Astronome* qui sont datés, c'est sur des caractères de ce genre que les historiens de l'art doivent se fonder pour dresser la chronologie des œuvres de Vermeer. Ce faisant, ils méconnaissent forcément dans une large mesure l'influence qu'ont pu avoir sur sa production les hasards de la vie quotidienne : ainsi, il se peut que les couleurs plus soutenues de la *Femme à la lettre* n'aient été qu'une expérience; peut-être Vermeer a-t-il encadré son modèle de deux rideaux parce qu'il venait d'acheter un rideau gris bronze qui lui plaisait; peut-être un client lui avait-il commandé un tableau ayant cette ordonnance et l'a-t-il refusé ensuite. Il est possible que des influences de cet ordre aient agi sur Vermeer et cette incertitude accroît encore les difficultés auxquelles se heurtent les experts, quand ils veulent dater ses œuvres.

C'est un signe de l'universalité des œuvres de Vermeer qu'elles puissent signifier tant de choses pour tant d'observateurs différents. Aussi posent-elles autant de problèmes d'interprétation que de chronologie. On en trouve un exemple déroutant dans *le Couple à l'épinette* *(page 134)* que l'on date approximativement de 1662.

Les critiques ont été traditionnellement d'accord pour appeler ce tableau *la Leçon de musique* et pour estimer que ce titre en résumait parfaitement le sujet : les deux personnages sont le maître et son élève, ils ont été relégués à l'arrière-plan qu'ils tranchent hardiment d'une tache bleu sombre (Vermeer n'a jamais utilisé le noir pur), dans la lumière tamisée d'une chambre où dominent des tonalités pastel : le bleu de la chaise, le beige du mur, le jaune de l'épinette. Dans le couvercle de l'instrument figurent les mots suivants (quelques lettres sont indistinctes) « Musica Letitiæ Co(me)s Medicina Dolor(is) », ou « La musique est la compagne de la joie et le remède de la douleur ». Voilà donc une peinture aimable, aussi intime qu'une musique de chambre, et qui représente une scène de genre familière et paisible.

Peut-être. Mais certains interprètes ont perçu dans ce tableau une tension bien différente et lui ont trouvé un tout autre sens. Lawrence Gowing, conservateur à la Tate Gallery de Londres et auteur d'un ouvrage sur Vermeer qui fait autorité, suggère que l'homme qui figure sur la toile n'écoute pas et qu'il donne encore moins une leçon de musique : il fait la cour à la jeune femme. Il arrive de la rue et vient d'entrer, affirme Gowing, qui en voit pour preuve le fait qu'il tient encore sa canne à la main (on pourrait naturellement soutenir que cette canne est une baguette destinée à battre la mesure).

Selon Gowing, l'homme attend une réponse de la jeune femme et la subtilité de Vermeer consiste précisément à ne pas nous faire voir le visage de cette dernière et, par conséquent, à ne pas nous révéler sa réaction. Les reflets dans le miroir pendu au-dessus de l'épinette montre qu'elle a tourné légèrement la tête vers son interlocuteur, mais l'expression y est trop imprécise pour qu'on y puisse lire sa réponse; on ne distingue guère plus qu'un vague modelé d'ombres et de lumières. Le miroir devient ainsi pour Gowing « le cœur même du tableau » où l'avenir « reste à jamais en suspens ». (Vermeer avait su déjà représenter avec bonheur le reflet impalpable d'un visage dans la *Femme à la lettre*).

Quand on [illegible] cette interprétation, il est difficile de l'écarter. Il est [illegible] par les mystères de l'amour et du désir : peut-être la nappe de ce tableau [illegible]nt tient-elle en effet pour une [illegible] femme est sur le point de décider du destin de l'homme qui attend, [illegible] immobile, sa réponse.

Diverses interprétations ont été données aussi de la *Jeune fille endormie* ([illegible]). Son titre actuel évoque une simple scène de genre représentant une servante assoupie. Toutefois, dans le catalogue de la vente aux enchères de 1696, le tableau était décrit comme représentant « une jeune fille ivre, endormie devant une table », thème familier de l'époque, et la présence d'un verre de vin et de ce qui peut passer pour une carafe renversée a manifestement conduit à l'interprétation de l'ivresse.

Mais on lui a également trouvé un autre sens. A peine visible derrière le personnage se trouve un tableau représentant Cupidon (on ne distingue que sa jambe gauche), avec un masque posé à terre. Vermeer s'est complu parfois à poser des problèmes allégoriques, selon la mode du temps; et, dans la symbolique de l'époque, Cupidon signifiait souvent l'amour déçu. Ainsi la jeune fille ne serait-elle ni ivre, ni assoupie, mais perdue dans une rêverie mélancolique.

Ce ne sont là que des conjectures. Rien ne permet de trancher de façon définitive. D'autres artistes de genre contemporains ont eu à cœur d'expliquer les scènes qu'ils représentaient. Aucun d'eux n'a laissé subsister autant d'ambiguïtés ni d'énigmes que Vermeer. Il n'explique rien parce qu'il a peint non pas pour distraire un public, mais pour s'exprimer lui-même à travers des couleurs, des formes et une atmosphère. Si on pouvait l'interroger à ce sujet, Vermeer répondrait très probablement que ses tableaux signifient tout ce qu'on veut leur faire dire.

Il existe quelques Vermeer qui ne posent pas de problèmes d'interprétation, car ils sont si simples, si dépouillés, que l'on n'est même pas tenté d'y chercher la moindre allusion. Ce sont ses tableaux représentant un personnage unique, une femme se livrant à quelque activité domestique. Il les a probablement peints alors qu'il venait de passer la trentaine et, bien que toute généralisation concernant Vermeer soit sujette à caution, il semble qu'on puisse affirmer que ces tableaux sont, de toutes ses œuvres, les plus admirées.

L'un des premiers, exécuté vers 1663, est la *Femme à la fenêtre (pages 17, 27)*. Vermeer y fait preuve de la même simplicité et de la même fraîcheur de formes et de couleurs que dans la *Dame en bleu lisant une lettre*, peinte l'année suivante. Le bleu domine, c'est la couleur de la robe de la femme et de l'étoffe posée sur la chaise, et il se nuance de mille variations délicates dans les ombres de sa coiffure, dans le mur qui est derrière elle et même dans la lumière qui filtre à travers la fenêtre. (Un expert a noté que les vitres de l'époque de Vermeer n'étaient probablement pas complètement incolores.) Les ombres sous le cadre de la fenêtre sont graduées avec raffinement, les plis de la coiffe sont d'un dessin exquis, le reflet du tapis

L'historien P.T.A. Swillens, s'est appliqué à reconstituer le plan des pièces que Vermeer avait reproduites. Il s'est fondé sur *le Géographe (ci-dessus)* et quelques autres scènes d'intérieur. A partir de graphiques tels que celui-ci, Swillens a calculé l'endroit où Vermeer s'était placé pour peindre, ainsi que l'élévation de son champ visuel au-dessus du sol *(ligne O-H)*. Il en a déduit, entre autres conclusions, que Vermeer peignait assis et qu'il devait mesurer 1,65 m; les mêmes données ont amené d'autres historiens à conclure que Vermeer avait dû se servir d'un auxiliaire mécanique.

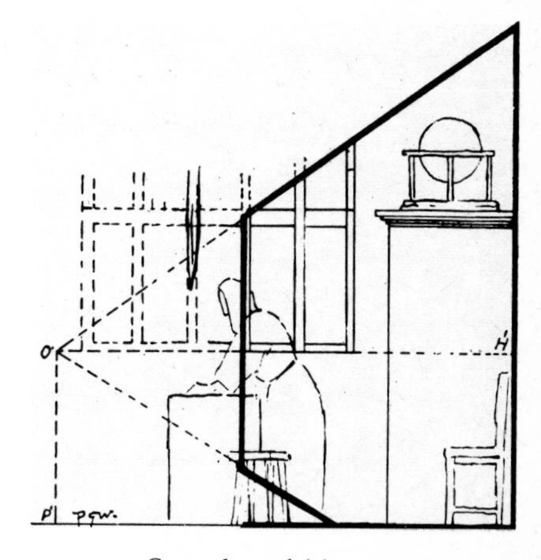

Coupe hypothétique, en élévation

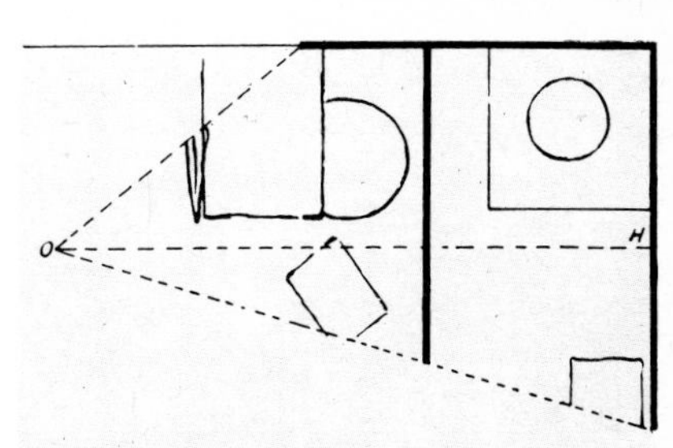

Plan hypothétique, en projection

d'Orient dans la coupe d'argent est admirable; l'attitude de la femme est simple, mais Vermeer l'a rendue pleine de charme et de dignité.

C'est vers 1665 que Vermeer a peint *la Peseuse de perles (page 153)*. La femme enceinte qui y figure est peut-être, cette fois encore, Catharina Vermeer. Elle porte un pelisson d'un bleu profond bordé d'hermine, selon la mode du temps. (La même jaquette se retrouve en jaune dans d'autres tableaux et la coiffe de la femme est presque identique à celle de la *Femme à la fenêtre*). Elle vérifie sa balance ; on reconnaît devant elle sur la table les objets familiers d'une boutique d'orfèvre.

Au mur, derrière elle, est accroché un Jugement dernier et Vermeer n'a certainement pas choisi ce tableau par hasard. Ici encore, comme dans la *Jeune fille endormie*, une note allégorique subtile vient ajouter à l'œuvre une sorte de piment, sans altérer pour autant la pureté de la composition. Le Jugement dernier nous suggère qu'il faut voir dans le geste de la jeune femme bien davantage que le simple fait de vérifier une balance. Il confère à son acte un prolongement mystique par le rappel de l'autre balance, celle où sont pesées les âmes humaines. On a également souligné que ce tableau contient certains éléments classiques de la peinture de « vanités » : l'or et les perles, le miroir et la balance.

Même sans s'arrêter à ces allusions, il est clair que ce tableau n'est pas seulement le portrait d'une joaillière dans l'exercice de son négoce. La sérénité rêveuse du visage aux yeux baissés, la délicatesse des mains fines expriment un sentiment beaucoup plus profond de tendresse et de beauté. Cette interprétation elle-même n'est pas nécessaire, tant l'univers de Vermeer est inépuisable — on peut savourer simplement le concert des couleurs, comme on le ferait à la vue d'un champ de fleurs.

Un tableau qui rappelle beaucoup *la Peseuse de perles* est *le Collier de perles (page 129)*. Ce chef-d'œuvre a changé de mains à Amsterdam en 1811 pour l'équivalent de 75 francs avant de devenir le joyau de la collection Thoré-Bürger. Nous y retrouvons le même intérieur que dans *la Peseuse de perles*, mais baigné de lumière; les jaunes y dominent au lieu du bleu et le mur est presque blanc. La jeune femme est perdue elle aussi dans sa contemplation, mais c'est elle-même qu'elle contemple avec une joie naïve, tout en ajustant son collier devant son miroir.

Dans *la Laitière (pages 132-133)*, la contemplation a moins de part, mais on croit entendre peser un grand silence. Cette œuvre intense est elle aussi un portrait de femme, mais elle a sans doute été peinte plusieurs années avant les trois tableaux précédents, et elle est dépourvue de toute allusion. On y voit simplement une jeune fille versant du lait dans une jarre, une présence physique recréée par l'artiste, un instantané qui capte la vérité au point de restituer jusqu'à la trace d'un clou dans le plâtre du mur.

Mais, en observant les couleurs de cette scène et en les voyant prendre vie sous la lumière venue de la fenêtre, Vermeer a dû éprouver comme une intensification soudaine de ses sentiments et une sorte d'envoûtement. Car, ici, dans cette pièce modeste, il a arrêté le temps. Ce n'est pas un moment quelconque, c'est un instant choisi, inoubliable. La vie nous offre de tels instants; chacun conserve en lui quelques images indélébiles — peut-être celle d'une promenade matinale au soleil sur une plage où des oiseaux picorent, ou celle d'un après-midi d'enfance à l'heure de la sortie de l'école, à la tombée de la nuit. Qui peut dire pourquoi tel instant et non tel autre est ainsi mémorable ? Ce fut le génie de Vermeer de susciter quelques-uns de ces instants et de les préserver.

L'image la plus parfaitement simple, dans cette galerie de personnages uniques, est la charmante *Jeune fille au turban (page 161)*. On y voit seulement la tête et l'épaule d'une jeune fille. Elle porte une coiffure jaune et bleue et une veste ou une cape jaune citron. Cette tenue est inhabituelle pour l'époque, et il se peut que Vermeer ait délibérément paré son modèle de vêtements d'une mode ancienne, ou qu'il se soit plu à composer cet habillement. Le visage est celui d'une adolescente — peut-être une de ses filles; les yeux, la bouche entrouverte, les lèvres délicates, tout concourt à faire de ce portrait une œuvre extraordinaire.

Le pendant d'oreille de la jeune fille nous rappelle la passion qu'avait Vermeer pour les perles, mais il témoigne avant tout du génie avec lequel il savait jouer de la lumière pour définir la matière. Si l'on examine la toile de très près, le bijou semble n'avoir pas de contour, il n'a pas la forme d'une perle, il se réduit à quelques touches de peinture; cependant, celles-ci sont appliquées avec une telle perfection que, vues à quelque distance, elles se fondent en une image dont la structure et la luminosité reconstituent précisément une perle.

La *Jeune fille au turban* est exposée au Mauritshuis de La Haye auquel elle a été offerte par un collectionneur qui l'avait achetée en 1882 pour moins que ne coûte aujourd'hui sa reproduction. Le prix était modique, même pour l'époque, en raison du très mauvais état du tableau : il a fallu pour le restaurer réparer un trou sous l'œil gauche de la jeune fille et un autre sous sa pommette gauche. Le Mauritshuis est un petit musée, ancien et tranquille, qui est un cadre parfait pour la *Jeune fille au turban.* Les jours d'hiver, il arrive qu'il n'y ait aucun visiteur dans la salle où elle est exposée. Au dehors, les rues sont silencieuses; la lumière qui tombe du ciel bas est celle que Vermeer a connue. Au milieu de toutes les œuvres recherchées du XVIIe siècle qui l'entourent — paysages, intérieurs, toiles de grande dimension —, la jeune fille émerge dans une tache de couleur claire et illumine la salle.

Le catalogue de la vente aux enchères de 1696 fait état de trois tableaux d'extérieur peints par Vermeer. Deux d'entre eux ont survécu : la *Vue de Delft* *(pages 54-55)* et *la Ruelle* *(page 56)*, qui sont connus pour être des Vermeer aussi lointainement que nous retrouvons leur trace. Des critiques ont appelé la *Vue de Delft* le plus beau paysage de ville qui ait jamais été peint.

On peut déterminer avec précision l'emplacement d'où elle a été peinte : d'une fenêtre du second étage d'un édifice qui était séparé du port de Delft par la rivière Schie. La vue qu'on peut en avoir aujourd'hui est encombrée de constructions neuves et d'un grand réservoir de gaz naturel, mais l'allure de la vieille ville n'a pas changé, pas plus que n'a changé l'eau; les bateaux eux aussi ont conservé leurs formes. Par souci d'esthétique, Vermeer a apporté quelques modifications au paysage en déplaçant certains bâtiments, mais sans que le réalisme intrinsèque de l'œuvre en souffre. De fait, si l'on se replace aujourd'hui au même endroit sous un ciel chargé de nuages, on est saisi d'un sentiment impressionnant de continuité avec un passé vieux de trois cents ans.

Il y a dans la *Vue de Delft* une note moyenâgeuse; on y retrouve aussi beaucoup du Delft d'aujourd'hui — et de sa lumière. Chaque détail se détache avec une vigueur extraordinaire; la lumière crue et comme impalpable qui précède immédiatement l'orage est recréée à la perfection. Mais, avant tout, ce tableau exprime l'essence du Delft de Vermeer; c'est le témoignage d'amour d'un grand artiste envers sa ville natale.

Quelle différence entre la puissante simplicité de la *Vue de Delft* et certaines toiles qui passent pour avoir été les œuvres des dernières années de Vermeer ! Toute la peinture hollandaise a souffert d'une perte d'inspiration quand l'Age d'or a approché de son terme, et il est possible que même le génie de Vermeer en ait été affecté. Que cette supposition soit exacte ou que Vermeer se soit au contraire simplement livré à des expériences, l'esprit de ses dernières œuvres est entièrement différent. Elles sont d'une composition plus recherchée et présentent parfois des contrastes de couleurs plus violents que ses œuvres antérieures.

C'est le cas de *la Lettre d'amour (page 158)* que l'on date habituellement des environs de 1670 et où l'on voit une femme recevant une lettre de sa servante. Le sujet est familier à Vermeer; d'autres traits également sont caractéristiques : l'harmonie jaune et bleue des couleurs, la chaise à clous de cuivre, la musique, le rideau, le carrelage. Mais bien des traits lui ressemblent moins. Et, d'abord, on est tenté d'interpréter la situation comme une scène de genre typique : la servante paraît regarder sa maîtresse de haut avec un sourire entendu, la maîtresse lève les yeux vers elle avec un air de reproche, comme si elle en voulait à la servante de savoir qu'elle vient de lui remettre une lettre d'amour. Vermeer n'a pas l'habitude d'en dire aussi long.

On ajoutera que la composition du tableau — un vestibule au premier plan ouvrant sur une pièce plus grande — est beaucoup plus compliquée que dans la plupart des œuvres de Vermeer. Il y a dans cette toile un côté théâtral, une surabondance, qui contredit le génie simple de ses créations antérieures.

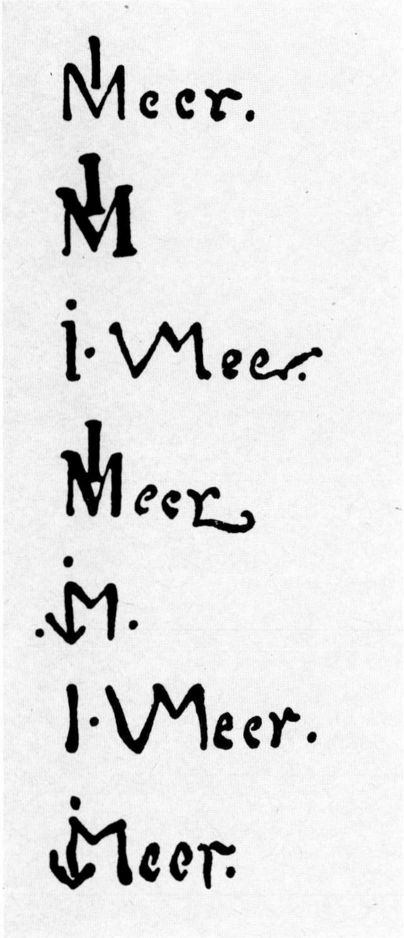

L'un des nombreux problèmes auxquels se heurtent les historiens de Vermeer est que ce dernier a rarement signé deux tableaux de la même manière : les sept signatures ci-dessus ne constituent que des échantillons de celles que l'on tient pour authentiques. Aucune des tentatives faites pour dater ses œuvres en se fondant sur la signature n'a abouti.

On tient généralement l'*Allégorie de la Foi* pour la dernière œuvre de Vermeer *(pages 162-163)*. Il l'aurait peinte en 1672, à peu près à l'époque où il dut quitter sa maison, Mechelen. Ce tableau, qu'on a également appelé l'*Allégorie du Nouveau Testament*, est une interprétation plus ou moins libre d'une description symbolique de la foi catholique telle qu'on la trouve dans un ouvrage contemporain intitulé « Iconologie... des vertus, des vices, des passions humaines, des arts, des doctrines ». Cet ouvrage, familier aux érudits de l'époque, explique avec force détails les symboles religieux traditionnellement attachés à différents objets. Un bon nombre de ceux-ci apparaissent dans le tableau de Vermeer. Mais, en dehors de l'allégorie qui veut représenter le triomphe de la foi et la victoire du bien sur le mal, ce tableau nous parle peu, surtout pour un Vermeer. Le personnage de la Foi, le pied droit posé sur un globe terrestre, a le visage le plus impersonnel qu'il ait jamais peint. La construction est raide, la scène encombrée et, mis à part certains détails tels que le rideau et la boule de cristal, on n'y retrouve guère l'harmonie de lumière et de couleurs chère à Vermeer. Peut-être le tableau a-t-il été fait sur commande, ou à l'occasion d'une cérémonie civique. A coup sûr, ce n'est pas une de ces œuvres qu'il a portées en lui-même dans le secret de son univers intérieur et c'est pourquoi elle compte aujourd'hui si peu d'admirateurs.

L'autre allégorie peinte par Vermeer, en revanche, est une de ses œuvres les plus parfaites : c'est *le Peintre dans son atelier (pages 164-165)*. On le date généralement de 1670, bien que certains experts le fassent remonter plus haut. C'est le tableau que Catharina Vermeer remit à sa mère en 1675, en règlement partiel d'une dette, et qui fut menacé d'être mis en vente publique lors de la liquidation de la faillite.

Ce tableau a eu dans un passé récent un destin plus mouvementé encore. Un sellier le vendit en 1813 pour un Pieter de Hooch à un grand seigneur viennois, le comte Czernin, moyennant 30 florins, soit l'équivalent de 50 francs. Peu après 1860, Thoré-Bürger l'authentifia pour un Vermeer. Il resta pendant plus d'un siècle dans la famille Czernin; en fait, celle-ci le prêta au Kunsthistorisches Museum de Vienne, mais elle repoussa toutes les offres venant d'autres collectionneurs, bien que certaines d'entre elles se soient élevées, a-t-on dit, à quelque deux millions de dollars.

Pourtant un collectionneur plus persuasif eut enfin raison de son obstination. Adolf Hitler, après avoir multiplié les pressions et recouru peut-être à la menace, acquit le tableau en 1940 pour un prix équivalant à plusieurs centaines de millions d'anciens francs. Il l'acheta pour un musée qu'il rêvait de construire après sa victoire, en l'honneur de sa mère, dans la ville autrichienne de Linz. Portant simplement l'inscription « A. H., Linz », ce chef-d'œuvre fut caché avec 6 750 autres objets d'art dans une mine de sel de la région de Salzbourg où les Alliés le trouvèrent en 1945. Il a repris sa place au musée de Vienne.

Pour les amoureux de Vermeer, *le Peintre dans son atelier* vaut à lui seul le voyage à Vienne. C'est une toile d'assez grande dimension — 107 cm × 130 cm; on y voit le peintre devant son chevalet commençant un tableau; son modèle qui lui fait face est une jeune fille couronnée de lauriers. Elle est drapée dans une lourde étoffe de soie et tient une trompette ainsi qu'un livre doré. Un masque en plâtre repose sur la table, et derrière la jeune fille s'étale une grande carte des Pays-Bas.

Le modèle représente soit la Gloire, soit Clio, muse de l'histoire, célébrant à la fois la gloire des Pays-Bas et de l'art hollandais. Mais ce symbolisme vague s'efface derrière la qualité d'inspiration et l'art souverain qui transfigurent le tableau. Chaque détail, chaque touche de peinture contribuent à son pouvoir de fascination, depuis les clous de la chaise placée au premier plan jusqu'au rayonnement du lustre de bronze, jusqu'à la reproduction minutieuse des petits panoramas qui encadrent la carte murale, jusqu'au visage composé de l'adolescente immobile.

A la différence de l'*Allégorie de la Foi*, ce tableau mêle dans une union intime tous les éléments de couleur, de composition et de contenu. Ce n'est pas une œuvre simple — elle est fort complexe; elle peut même passer pour étrange, avec le peintre dans son accoutrement bizarre, jambières tombantes, planté solidement sur son tabouret, qui tourne le dos au spectateur. Mais, en l'étudiant, on voit que cette complexité est naturelle et sans manières et que la pose dynamique de l'artiste est précisément ce qui donne vie au tableau.

Par son inspiration, elle est bien loin de la simplicité exquise des portraits isolés de personnages féminins. Mais elle a un pouvoir d'attraction irrésistible qui en fait le sommet du génie de Vermeer. En montrant un peintre à l'œuvre — que ce peintre fût ou non Vermeer lui-même —, elle reproduit l'univers qu'il connaissait le mieux, celui de l'atelier. La scène est pleine d'éléments familiers : l'harmonie jaune et bleue des couleurs; les nuances de ton délicates des ombres; la manière absolument convaincante dont les personnages et les choses prennent place dans l'ensemble; la lumière limpide qui, venant de la gauche, modèle superbement chaque objet et chaque surface.

On y retrouve aussi l'ambiguïté familière au peintre — sommes-nous devant un portrait à demi humoristique de Vermeer lui-même ? On y trouve enfin ce calme et ce silence qui sont la marque de Vermeer, l'hésitation magique du temps qui choisit et isole une scène en un moment de sérénité baigné de lumière.

Un critique a noté que « si ce tableau n'est pas le chef-d'œuvre suprême de Vermeer, il est son œuvre la plus complexe et la plus célèbre ». Un autre historien de l'art a pu déclarer de façon plus significative que ses yeux ne s'ouvraient pleinement à la signification de Vermeer que devant *le Peintre dans son atelier*.

Le poète de la vie domestique

S'il ne se souciait ni d'anecdote à conter, ni de message moral à transmettre, il est un miracle auquel Vermeer n'a jamais manqué qui est d'emplir ses toiles de poésie. Au premier abord, on ne verra peut-être dans ce chef-d'œuvre *(à droite)* qu'une femme occupée à peser de l'or et des perles — et on peut en effet l'apprécier de ce seul point de vue. Un examen plus approfondi, surtout si l'on se souvient de l'importance attachée par son époque à la symbolique, y révèle une allégorie de l'espèce la plus subtile. Comme dans la plupart de ses œuvres, Vermeer n'a rien peint ici au hasard : les perles, l'or, la balance, le tableau accroché au mur, le personnage lui-même — tous ces éléments sont liés les uns aux autres et tous participent de l'idée qu'il a souhaité exprimer.

La clef de l'allégorie se trouve dans le Jugement dernier qui forme l'arrière-plan du tableau. La relation est claire entre Dieu pesant les bons et les méchants et la peseuse d'or. L'or et les perles répandus hors du coffre prennent un sens nouveau : ils représentent tout ce qui sert d'appât aux humains et qu'ils essaient de retenir vainement, guettés qu'ils sont par la mort. Malgré cette allusion, le tableau n'a rien de déprimant. Il est au contraire chargé d'un secret espoir : la femme attend un enfant, debout, sa balance à la main; image de la tranquillité dans un demi-jour doré, elle incarne et proclame l'intention de Vermeer, qui est de célébrer la vie perpétuellement renouvelée.

Vêtue d'un pelisson d'hermine, à la mode des années 1660, pour se protéger de l'humidité et du froid, la jeune femme qui a servi de modèle à Vermeer a une suavité supraterrestre qu'on ne trouve habituellement qu'aux personnages de tableaux religieux. Le marchand qui mit ce tableau aux enchères après la mort de Vermeer lui décernait avec raison la mention suivante : « Peinture puissante et d'une dextérité extraordinaire ».

La Peseuse de perles

NATIONAL GALLERY OF ART, WASHINGTON, D.C., COLLECTION WIDENER

Les femmes occupent le centre de l'univers de Vermeer et, au cœur de leur univers, figure la perle : la jeune femme écrivant une lettre *(à droite)* et la jeune fille à face de Pierrot dont le regard attendrissant paraît sortir de la toile portent l'une et l'autre des perles aux oreilles, de même que presque tous ses autres modèles. La lumière de Vermeer paraît concentrée dans le cercle scintillant de leurs pendentifs. Qui sont-elles, ces jeunes filles ? Nul ne le saura jamais. Peut-être ses filles. Mais, pas plus que dans ses autres portraits de femmes, il ne s'est permis de mentir — ni l'une, ni l'autre n'est jolie. Il a su les apprécier cependant assez pour leur donner quelque chose de la douceur laiteuse et de l'éclat des perles qu'elles portent si fièrement. Et telle est la force de son talent que, replacées dans l'ensemble de son œuvre dont elles sont un élément si important, elles nous paraissent belles.

COLLECTION Mr. ET Mrs. CHARLES WRIGHTSMAN

Tête de jeune fille

NATIONAL GALLERY OF ART, WASHINGTON, D.C. DON DE HARRY WALDRON HAVEMEYER ET HORACE HAVEMEYER JR., EN SOUVENIR DE LEUR PÈRE, HORACE HAVEMEYER

Femme écrivant

ISABELLA STEWART GARDNER MUSEUM, BOSTON

Le Concert

Trois thèmes reviennent avec insistance à travers l'œuvre de Vermeer — la jeune femme écrivant, la liseuse et le thème de la musique. Sans doute les a-t-il choisis pour une raison simple : ils lui donnaient l'occasion de peindre une activité aisément reconnaissable sans être obligé de mettre trop nettement l'accent sur cette activité ni de rompre l'effet d'harmonie qu'il souhaitait produire. Ce n'est pas un hasard si les personnages des deux tableaux ci-contre *(à droite)* ne jouent même pas de leur instrument. Et, dans *le Concert (à gauche)*, les deux musiciens sont représentés avec un tel recul qu'on ne peut s'empêcher de penser que ce qu'ils font est moins important que la manière dont ils se groupent pour composer le tableau.

Le rôle effacé des modèles répond au propos de l'artiste : une étude plus poussée des caractères aurait détourné par trop l'attention, des mouvements auraient rompu l'absolue tranquillité de l'instant. Mais, comme s'il avait senti qu'à poursuivre ce but jusqu'à ses dernières conséquences, il aurait produit des œuvres trop froides, Vermeer y a entremêlé un autre thème, celui de l'amour. Le plus souvent, ce dernier n'y est présent que sous une forme allusive ou détournée. Ainsi, derrière les personnages du *Concert,* nous reconnaissons *l'Entremetteuse* de Baburen *(page 67)*, qui constitue dans sa vénalité un contrepoint de l'action qui se déroule devant elle; elle pourrait suggérer que, par-delà l'apparence paisible de l'homme et de la femme peints par Vermeer, bouillonnent des passions plus violentes.

Il en est de même des deux toiles de droite. Dans celle du haut, un tableau qui représente Cupidon brandissant une lettre pourrait être une allusion à la vraie nature des relations qui unissent le maître et son élève. Ce même tableau, reproduit dans la toile du bas, donnerait à penser que la *Dame debout au virginal* songe à l'homme qu'elle aime — à moins peut-être qu'elle ne le regarde.

La Leçon interrompue

Dame debout au virginal

La Lettre d'amour

Vermeer s'est complu à reproduire des tableaux dans le cadre de ses propres œuvres. On en trouve un parfait exemple dans cette toile où une femme de qualité s'apprête à ouvrir la lettre que lui a remise sa servante. Les tableaux ornant les murs — un paysage et une marine — pourraient indiquer que l'auteur de la lettre est au loin, comme le suggérerait aussi la carte fixée dans l'ombre, à gauche de la porte. Malgré son goût pour de telles

COLLECTION SIR ALFRED BEIT, BLESSINGTON

Femme écrivant et sa servante

allusions, il ne semble pas que Vermeer y ait recouru dans ce tableau, comme s'il avait voulu le faire accepter simplement pour lui-même. On n'aperçoit pas de rapport entre la toile de fond, Moïse sauvé des eaux, et le sujet traité par Vermeer, une femme écrivant une lettre. Le spectateur sera seulement sensible au propos essentiel de l'artiste — grouper des personnages en laissant la lumière composer son tableau.

RIJKSMUSEUM, AMSTERDAM

Femme en bleu lisant une lettre

Ces deux toiles sont parmi les plus simples et les plus admirables de Vermeer. Rien n'est plus déconcertant pourtant que de les détailler et de les analyser. Le visage de la jeune fille au turban est, pourrait-on dire, modelé dans la lumière; comme les radiographies l'ont révélé, on n'y trouve pas la moindre trace de traits, ni en surface, ni dans l'épaisseur de la peinture. Le jaune lumineux et le bleu limpide se conjuguent pour produire un effet magique.

Les mêmes bleus se retrouvent sur la blouse de la femme dans le tableau ci-dessus : ils en font un objet vivant. Un autre grand Hollandais, Van Gogh, a été fasciné par cette œuvre à une époque où Vermeer était encore presque inconnu : « La palette étrange de ce peintre, dit-il avec étonnement, est faite de bleu, de jaune citron, de gris perle, de noir et de blanc ».

GALERIE ROYALE DE PEINTURE, « MAURITSHUIS », LA HAYE

Jeune fille au turban

THE METROPOLITAN MUSEUM OF ART, NEW YORK, COLLECTION MICHAEL FRIEDSAM 1931

Allégorie du Nouveau Testament

Après la poésie contenue qui baigne ses chefs-d'œuvre, le symbolisme voyant du tableau allégorique ci-contre et l'attitude théâtrale de la Vertu semblent marquer un tournant singulier dans la carrière de Vermeer. Cette recherche de l'effet a certainement contribué à en faire une de ses œuvres les moins appréciées; elle contient néanmoins, comme on peut en juger par les détails que voici, des morceaux admirables et parfois saisissants. Si elle nous paraît aussi éloignée du caractère de Vermeer, c'est en premier lieu qu'il en a emprunté le thème à un ouvrage célèbre de symbolisme dû à un écrivain italien.

Bien qu'intitulée l'*Allégorie du Nouveau Testament*, cette toile est en réalité une allégorie de la foi catholique. Vêtue de blanc immaculé, la main ouverte sur son sein, « siège de la foi véritable et vivante », la Vertu a posé triomphalement le pied sur une mappemonde symbolisant la terre. Au premier plan, gisent le Mal, écrasé sous une pierre, et la pomme, « par qui vint le péché ». Un des traits les plus curieux de cette composition est peut-être la vue qu'elle nous ouvre sur le cadre où travaillait Vermeer, la chambre aux rideaux à demi tirés qui se reflète obscurément dans la boule de cristal — et, dissimulé quelque part dans la pénombre, on devine Vermeer lui-même.

Allégorie du Nouveau Testament, détail

Allégorie du Nouveau Testament, détail

Allégorie du Nouveau Testament, détail

Le Peintre dans son atelier

Le Peintre dans son atelier, détail

Les symboles se marient si heureusement au contenu et à l'atmosphère de ce tableau qu'on y voit souvent le chef-d'œuvre de Vermeer. On l'a longtemps désigné du titre réaliste de *le Peintre dans son atelier*. La critique moderne a démontré qu'il avait en outre une signification symbolique, c'est pourquoi on l'intitule souvent aujourd'hui l'*Allégorie de la gloire* ou l'*Allégorie de la peinture*. L'artiste, assis à son chevalet, fait le portrait de la Gloire : une carte de Hollande, blasonnée des armoiries des Provinces et des villes *(ci-dessus)* et jalonnée des vaisseaux qui les ont enrichies et en ont fait le foyer de l'art, suggère que les Pays-Bas sont devenus le nouveau Parnasse et que, grâce aux mérites des peintres hollandais, la Gloire, couronnée de lauriers, les a choisies pour séjour. Mais ce qui rend finalement cette toile inoubliable, c'est bien moins cette allégorie que la lumière claire et pure qui rayonne du tableau, l'harmonie de ses couleurs et la grâce mutine de la jeune fille *(voir le détail à la page suivante)*.

VIII

Un héritage de mystère

Il plane sur l'histoire des œuvres de Vermeer une telle incertitude que l'on voudrait s'abandonner à l'espoir de découvrir un jour, caché dans un grenier ou une remise oubliée, un lot de toiles inconnues qui seraient son œuvre. Mais cet espoir est sans doute chimérique. Si l'on se rappelle que Vermeer travaillait lentement, qu'il vivait dans une maison pleine d'enfants et qu'il exerçait en outre le métier de marchand de tableaux, on devrait au contraire s'étonner qu'il ait trouvé le temps d'exécuter autant d'œuvres que l'on en connaît de lui.

La difficulté réside évidemment dans le fait que personne ne sait exactement le nombre de tableaux peints par Vermeer. Depuis la liste publiée en 1866 par Thoré-Bürger, qui en recensait plus de 70, les critiques, les marchands de tableaux et les collectionneurs n'ont cessé de discuter de l'authenticité de certaines toiles attribuées au peintre. Avec les années, la marge des œuvres douteuses s'est réduite, de sorte que les tableaux portant l'étiquette « attribué à Vermeer » ne sont plus qu'en nombre très faible. Quant au nombre des Vermeer authentiques, il oscille, selon les experts les plus autorisés entre 29 et 36.

La question est épineuse, car l'authentification d'un Vermeer n'est pas chose facile. La signature est en elle-même un problème. Vermeer a signé ses œuvres d'une demi-douzaine de façons différentes, tantôt de son nom complet, tantôt d'un monogramme. Mais les détériorations subies par les toiles ont rendu plusieurs signatures presque indéchiffrables. Des toiles qui passent pour des Vermeer ne portent aucune signature. Enfin, la fâcheuse pratique de marchands de tableaux qui n'ont pas hésité à vendre des œuvres diverses sous la signature de peintres connus, afin d'en tirer un meilleur prix, renforce la méfiance que l'on éprouve en face de plus d'une signature. Fréquemment, un nettoyage montre que cette signature a été rajoutée bien après que la toile a été exécutée.

En essayant d'établir l'authenticité d'une peinture du XVIIe siècle, il convient de se rappeler qu'un bon nombre d'entre elles, y compris celles de Vermeer, ont changé plusieurs fois de mains au cours des XVIIIe et XIXe siècles et qu'elles ont été vendues à des prix qui leur conféraient moins de valeur aux yeux de leur propriétaire qu'un habit de gala ou une robe du dimanche. Ne soyons donc pas surpris de la désinvolture avec laquelle elles furent traitées; des fonds ont été surchargés, des per-

Cette toile de jeunesse pourrait indiquer que Vermeer a pratiqué, dans une première époque, la peinture religieuse. C'est à partir de cette hypothèse que le faussaire moderne Hans van Meegeren entreprit de peindre une série de tableaux religieux de Vermeer, soi-disant perdus, qui ont pendant des années abusé les critiques.

Le Christ dans la maison de Marthe et de Marie

sonnages et des objets transformés selon le goût du maître du moment, enfin des toiles ont été coupées pour être mises aux dimensions d'un cadre ou d'une niche. Au XVIIIe siècle, le propriétaire d'un Vermeer n'aurait pas eu plus de scrupule à faire appel à un autre peintre pour y apporter des retouches que n'en aurait aujourd'hui une maîtresse de maison pour faire recouvrir un fauteuil.

Un des tableaux de Vermeer où les repeints sont les plus évidents est *la Jeune fille au verre de vin (page 131)*. La robe de la femme, la serviette blanche sur la table et le pichet sont admirablement lumineux; mais, par la suite, un autre peintre, soit pour restaurer la toile abîmée, soit pour complaire au caprice d'un propriétaire, a fait des rajouts grossiers au visage de la femme et à celui de son cavalier au point de leur donner une allure caricaturale. Les yeux de l'homme ont une expression équivoque et le visage de la femme est affadi et enlaidi. De même, la *Dame au Luth (page 137)* a été repeinte à une époque indéterminée, dotée d'une coiffure nouvelle et d'autres boucles d'oreilles; un nettoyage effectué en 1944 lui a restitué sa parure initiale.

A propos d'un autre tableau de Vermeer, *la Maîtresse et la servante,* P.T.A. Swillens a noté en 1950 que « les fonds sont entièrement repeints... la silhouette de la servante apparaît elle-même en plusieurs endroits ». Ce tableau avait été vendu à Paris en 1776 comme étant un Terborch, puis à nouveau à Paris, sous la même signature, en 1837. Lorsqu'on l'a nettoyé en 1935, l'arrière-plan primitif a reparu, mais les quelques vestiges d'une signature qui aurait pu être celle de Vermeer n'ont pas résisté au dissolvant, ce qui laisserait supposer que cette signature avait été surajoutée. Néanmoins, la plupart des experts, se fondant sur l'analyse interne de l'œuvre, estiment qu'elle a été réellement peinte par Vermeer.

Ce qui rend l'énigme encore plus ardue est le mauvais état de conservation de certaines toiles. Quelques-unes étaient trouées, mais ont été réparées, comme c'est le cas pour la *Jeune fille au turban.* D'autres toiles ont été découpées et remontées sur un nouveau châssis et toutes portent les craquelures de l'âge. Parfois, sur certains tableaux, les verts semblent avoir changé de nuance, ils paraissent beaucoup plus bleus qu'ils ne devraient l'être. C'est le cas, en particulier, de la *Vue de Delft (pages 54-55)* et de *la Ruelle (page 56)* où le vert du feuillage a tourné nettement au bleu. Les experts en ont déduit que le pigment jaune ajouté au bleu pour obtenir le vert désiré s'était oxydé et effacé au cours des ans, laissant ainsi ressortir une dominante bleue.

Ces altérations, peu sensibles sur certaines toiles, ont totalement faussé l'aspect d'autres Vermeer; profondes ou superficielles, elles renforcent les doutes d'ordre esthétique qu'ont éprouvés certains critiques devant le style et l'atmosphère de plusieurs tableaux — doutes partagés par Swillens à l'égard de deux œuvres de jeunesse de Vermeer, *Diane et ses nymphes* et *le Christ dans la maison de Marthe et de Marie ;* l'authentification s'en trouve encore compliquée.

Enfin, il ne faut pas perdre de vue l'aspect financier du problème. Une toile de Vermeer est un capital. Si le monde des arts décidait soudain qu'un Vermeer est en réalité l'œuvre d'un autre peintre, sa valeur marchande baisserait de centaines de milliers, voire de quelques millions de francs. Mettre en doute l'authenticité d'un Vermeer n'est donc pas une petite affaire : ce n'est pas seulement la réputation des experts et des directeurs de musée qui est en jeu, ce sont des fortunes.

Les difficultés d'identification des Vermeer ont été illustrées d'une façon spectaculaire, il y a quelques années, par la plus grande affaire de faux de l'histoire de l'art. L'instigateur de ce coup d'éclat était un nommé Hans van Meegeren, peintre hollandais, né en 1889, qui s'était autour de 1930 taillé une honnête réputation auprès du public hollandais, mais n'avait jamais obtenu de la part des critiques la consécration à laquelle il prétendait. Ulcéré par ce qu'il considérait comme leur incompétence, il résolut de se venger d'eux de la façon la plus éclatante qu'il pût imaginer : il imposerait son talent en « recréant » une œuvre d'un grand maître, dont l'authenticité serait reconnue à l'unanimité par les experts. (Plus tard, il pensa aussi au profit que l'opération pourrait lui rapporter.)

Van Meegeren se sentait des affinités avec les peintres hollandais du XVIIe siècle et il commença ses expériences en s'exerçant à peindre à la manière de Hals, de Hooch et Terborch. Finalement, son choix se porta sur Vermeer, qu'il pensait pouvoir le mieux imiter, et ce choix fut un coup de maître. Connaissant l'histoire de l'art, il savait que, de l'avis de nombreux historiens, Vermeer avait peint dans sa jeunesse d'autres toiles d'inspiration religieuse dans le style du *Christ dans la maison de Marthe et de Marie.* Bien des experts pensaient même que Vermeer avait dû se rendre en Italie pour y étudier Le Caravage. Van Meegeren, devinant bien la sensation des critiques d'art, décida de peindre un Vermeer perdu, non pas un Vermeer classique, mais un Vermeer religieux où l'influence italienne se ferait légèrement sentir.

Il ne sous-estimait pas la difficulté. Si bien disposés que fussent les experts, ils possédaient des moyens de détection scientifique pour préciser l'âge d'un tableau. Avec une habileté prodigieuse, van Meegeren se mit au travail pour obtenir, sur une peinture neuve, une patine qui la ferait paraître vieille de 300 ans. Le résultat fut remarquable. Après quatre ans de recherches et six mois de travail sur la toile, il fut en mesure de produire une fausse peinture du XVIIe siècle capable de résister sinon à des investigations scientifiques poussées, du moins à tous les examens courants *(pages 174-185)*.

Qu'il ait peint une toile ressemblant à un Vermeer est une autre affaire. *Les Pèlerins d'Emmaüs* *(pages 178-179)* représentent une scène décrite dans le Nouveau Testament : le Christ partage le repas du soir de deux de ses deux disciples, peu de temps après la Résurrection. Les attitudes et l'emploi des couleurs peuvent rappeler *le Christ dans la maison de Marthe et de Marie* de Vermeer et d'autres œuvres hollandaises du XVIIe siècle où perce une trace d'italianisme. Van Meegeren a utilisé la technique des pointillés que l'on trouve dans les dernières œuvres de Vermeer; le pichet de vin sur la table ressemble beaucoup aux pichets du *Couple à l'épinette* et de *la Jeune fille au verre de vin.* De plus, l'artiste avait su capter l'atmosphère de respect religieux propre à Vermeer — c'est du moins ce que pensèrent les critiques.

Van Meegeren présenta son tableau au cours de l'été 1937; il usa pour ce faire d'un habile stratagème. Il porta la toile chez un avocat de ses amis et lui raconta une histoire où il était question d'une vieille famille hollandaise possédant des tableaux qui étaient restés durant des siècles pendus aux murs du château ancestral. Quelques-unes de ces toiles se trouvaient maintenant en France, chez une dame de la famille qui, au dire de van Meegeren, était amoureuse de lui et l'avait chargé de les vendre moyennant commission. L'avocat confia le faux Vermeer au Dr Abraham Bredius, le plus distingué des experts d'art hollandais, qui vivait retiré à Monaco. Pendant plusieurs jours, le Dr Bredius examina le tableau et, enfin, au comble de l'enthousiasme, déclara que c'était là un authentique Vermeer. L'affaire était lancée.

Le tableau fit immédiatement sensation. De nombreux commentaires lui furent consacrés dans les revues d'art. Il supporta avec succès tous les tests habituellement employés pour dater une toile. La plupart des experts européens firent chorus avec le Dr Bredius et les quelques voix discordantes qui s'élevèrent — celle, par exemple, du professeur Johan Huizinga de l'université de Leyde, qui déclara que « l'œuvre manquait d'âme et se contentait de jouer avec les couleurs » — furent purement et simplement ignorées. Le tableau fut acheté par un musée de Rotterdam pour 520 000 florins. Les critiques s'extasièrent. L'un d'eux nota que cette peinture était un exemple parfait du « jeu des bleu pâle et des jaunes si cher à Vermeer », et ajouta que le visage du Christ « était infiniment pathétique et bienveillant ». Un directeur de musée hollandais affirma que la servante représentée dans *les Pèlerins d'Emmaüs* possédait le plus beau visage de femme que Vermeer eût jamais peint.

Un imprévisible coup du sort allait révéler la supercherie. Après *les Pèlerins d'Emmaüs*, van Meegeren fabriqua cinq autres Vermeer (ainsi que deux faux de Hooch). L'un des Vermeer fut acheté pendant la Seconde Guerre mondiale par Hermann Gœring qui était un collectionneur plus passionné encore qu'Hitler; cette transaction valut à van Meegeren d'être inculpé après la guerre d'intelligence avec l'ennemi, pour avoir livré aux nazis un bien faisant partie du patrimoine national.

Van Meegeren avait eu l'intention d'emporter son secret dans la tombe et de ne le révéler que dans son testament. Mais son imposture l'avait mis dans une situation tragique et, en juillet 1945, après six semaines de détention, il résolut d'avouer la vérité : non seulement le tableau de Gœring et *les Pèlerins d'Emmaüs* n'étaient pas des trésors nationaux, mais ce n'étaient même pas des Vermeer. Ces tableaux étaient des faux et c'était lui, van Meegeren, qui les avait peints.

Tout d'abord, personne ne le crut. Mais, quand *les Pèlerins d'Emmaüs* furent soumis à une nouvelle série d'examens scientifiques, les experts commencèrent, à contrecœur, à ajouter foi aux déclarations de van Meegeren. A l'appui de ses dires, le faussaire proposa de peindre *un autre* « Vermeer » sous contrôle des autorités. Il se mit à l'œuvre mais, au bout de deux mois, ayant appris qu'au lieu d'être inculpé pour trahison, il le serait pour faux, il refusa de terminer sa dernière contrefaçon.

Après une instruction qui dura plus de deux ans, il comparut devant le tribunal le 29 octobre 1947. Le procès fit sensation, mais fut vite expédié : il dura une journée; van Meegeren fut reconnu coupable et condamné à un an de prison pour « fraude préméditée ». Il mourut d'une crise cardiaque avant d'avoir commencé à purger sa peine. Mais sa mystification théâtrale n'est pas près d'être oubliée : les critiques d'art et les experts tremblent encore au seul nom de van Meegeren.

Ce qui paraît aujourd'hui le plus surprenant n'est pas que *les Pèlerins d'Emmaüs* aient failli triompher des examens scientifiques les plus minutieux, mais bien que les critiques les plus réputés aient pu prendre le tableau pour un Vermeer, et un grand Vermeer de surcroît. Cette toile est-elle de la bonne peinture ? On en discute encore : certains critiques la jugent excellente, d'autres, et ils sont nombreux, la trouvent exécrable. « Ce tableau est *mort* », déclare André Malraux. En revanche, personne ne penserait plus à l'attribuer à Vermeer. Les visages ont les paupières lourdes et les joues creuses, le dessin des mains est sans vigueur et les plis des manches manquent de naturel.

Il est certain qu'il s'est produit dans les années 1930 un phénomène d'auto-suggestion collective; beaucoup de critiques brûlaient du désir de découvrir de nouveaux Vermeer; certains d'entre eux se laissèrent influencer par la signature soigneusement imitée ainsi que par les déclarations de leurs confrères. Comme on l'a observé avec raison, ils regardaient avec leurs oreilles et non avec leurs yeux, et c'est précisément ce que van Meegeren voulait prouver : à cet égard, on a peine à ne pas éprouver quelque indulgence pour son acte. On s'étonne aujourd'hui, en regardant *les Pèlerins d'Emmaüs,* qu'ils aient pu passer, il y a trente ans, pour un Vermeer et ce changement d'optique marque bien la différence qui sépare le grand art de la médiocrité. Une véritable œuvre d'art contient un message qui défie le temps. Les générations qui passent lui découvrent une signification différente, mais l'œuvre traverse les âges. Une mauvaise toile cesse de nous toucher dès que la mode change. Un faux qui pouvait être pris pour un Vermeer en 1930 ne le serait plus aujourd'hui. Pour imiter Vermeer, il faudrait de nos jours user d'une tout autre technique, car de subtils changements des esprits nous font voir ses œuvres de façon déjà différente. Dans dix ou vingt ans, le faux Vermeer d'aujourd'hui deviendrait à son tour difficile à comprendre — tandis que l'original continuerait à garder son pouvoir d'émotion.

Si, après trois siècles, la peinture de Vermeer continue à nous toucher, c'est parce que son œuvre, tout en étant le fidèle reflet de l'époque où vivait le peintre, n'a pas été faite pour cette époque. Vermeer travaillait pour lui-même et l'extrême délicatesse de goût et de style qui l'a guidé n'est liée ni à un siècle, ni à une génération. Il importe peu que le sujet de ses toiles ne soit jamais d'un intérêt essentiel; ce qui compte, c'est la vision qu'il a de ses sujets et sa façon de les peindre.

Cette vision claire et sensible a fait de Vermeer l'inspirateur de nombreux impressionnistes et c'est sur eux, plus que sur tout autre peintre, qu'il a exercé l'influence la plus directe. Ils ont été profondément marqués par son intelligence de la lumière et des couleurs. Renoir a dit qu'il considérait *la Dentellière* comme un des plus beaux tableaux du monde, et il aurait regretté, dit-on, jusqu'à sa mort de n'avoir jamais été à Vienne voir *le Peintre dans son atelier.*

Au cours des cinquante dernières années, la séduction de Vermeer s'est imposée à un public toujours plus large et plus enthousiaste. Des foules se pressent à ses expositions, les reproductions de ses tableaux se multiplient; un des principaux événements artistiques de 1966 a été l'exposition « Dans la lumière de Vermeer », qui a attiré des foules et a été acclamée par la critique, à La Haye comme à Paris. Parmi les œuvres exposées figuraient 11 Vermeer, plus qu'il n'avait jamais été possible d'en rassembler depuis la vente aux enchères d'Amsterdam en 1696.

Les historiens de l'art sont plus fascinés que jamais par le mystère de la vie de Vermeer, les experts consacrent des monographies à l'étude de ses toiles, à la discussion des problèmes qu'elles posent. Mais, ni les recherches historiques, ni les analyses psychologiques ne dissiperont en tout cas les troublants secrets de son génie. Ce caractère énigmatique est l'une des qualités essentielles de son œuvre. Il y a chez lui une réserve apparemment infranchissable qui ne permet guère de le connaître, ni de le comprendre pleinement, mais qui est la source même de son éternelle fascination.

Son mystère est durable comme l'est son génie. Sereine, lumineuse, délicatement équilibrée, la poésie de Vermeer résiste au temps qui passe. Silencieux, attentif dans son atelier baigné de lumière, le Maître de Delft ne cessera jamais de nous émouvoir.

Le faussaire qui s'était pris pour Vermeer

Ce personnage pensif, en bas et à droite de la photographie ci-contre, est Hans van Meegeren — l'homme qui s'est cru l'égal de Vermeer et dont on ne se souvient aujourd'hui que comme de l'un des plus habiles faussaires de l'histoire de l'art. On le voit ici attendant d'être jugé, en 1946, et méditant devant deux de ses propres œuvres, une toile larmoyante qui représente une veuve entourée de sa progéniture et un petit tableau intitulé *les Chanteurs des rues.* Il avait rêvé de conquérir la gloire grâce à des toiles de ce genre, signées de son nom, mais ses espoirs avaient été déçus. Il entrevit alors une autre voie : « Profondément désappointé de ne pas être distingué par les artistes et les critiques... je résolus de prouver mon talent en exécutant un tableau parfait du XVIIe siècle ». Telles furent sa persévérance et son adresse qu'il réussit à exécuter non pas une, mais six toiles qui passèrent pour des Vermeer, ainsi que deux Pieter de Hooch qui ne furent pas davantage contestés.

L'entreprise de van Meegeren, en dépit de son succès momentané, est lamentable. Il s'était pris pour un génie — un Vermeer — alors qu'il lui manquait en fait l'inspiration, la vision authentiquement personnelle de l'artiste qu'il cherchait à égaler. Son aventure malheureuse a eu tout au plus une contrepartie : l'étude des faux de van Meegeren a fait faire des progrès importants à l'analyse des œuvres d'art. Ces recherches sans précédent ont exigé l'interventîon de l'historien de l'art, de l'esthéticien, du chimiste et du physicien; elles sont un exemple désormais classique de la collaboration des sciences mises au service de l'art.

Le maître faussaire Hans van Meegeren contemple une œuvre qu'il réalisa dans les année 40. Celle-ci, dans sa composition, se rapproche très fortement du troisième faux Vermeer qu'il fabriqua, *la Cène (pages 180-181).*

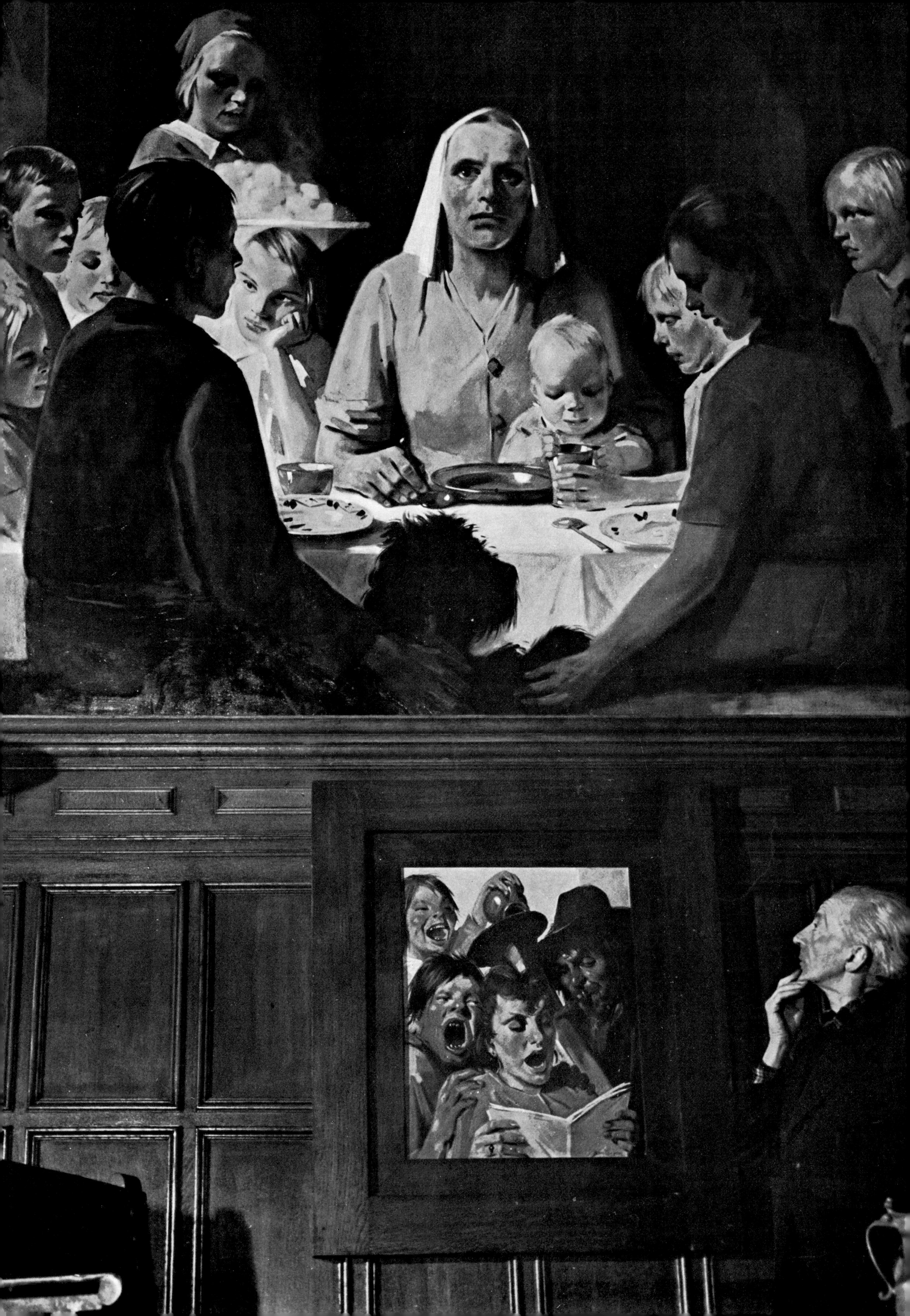

Buveuse, à la manière de Frans Hals, 1935-1936

Portrait d'homme, à la manière de Terborch, 1935-1936

MUSÉE BOYMANS-VAN BEUNINGEN, ROTTERDAM

Intérieur avec des buveurs, à la manière de P. de Hooch, 1937-1938

Quand van Meegeren eut pris sa décision de peindre une toile du XVIIe siècle irrécusable, il se trouva devant un choix difficile : quel maître allait-il copier ? Il s'essaya à plusieurs styles, comme les reproductions ci-jointes en témoignent : en bas et à gauche figure un « Pieter de Hooch » qu'il vendit sans doute avec satisfaction, car il avait lui-même acheté naguère un de Hooch qui était un faux. Il conserva le « Frans Hals » et le « Terborch » ci-dessus, pressentant peut-être qu'ils supporteraient mal un examen critique.

Il s'entraîna à la manière de Vermeer en peignant la toile reproduite en page de droite : c'est un pot-pourri de plusieurs Vermeer, le modèle est emprunté à la *Dame en bleu lisant une lettre (page 160)*; mais, comme la comparaison le prouve aussitôt, c'est une piètre imitation : le pendant d'oreille manque de l'opalescence que Vermeer lui aurait donnée, des pointillés apparaissent dans la coiffure, là où Vermeer n'en aurait jamais mis, et le mantelet pend en plis raides et en balancements pesants qui n'ont rien de la légèreté ni du naturel de l'original. Van Meegeren résolut néanmoins de fabriquer de faux Vermeer. Pour masquer ses maladresses, il opta astucieusement non pas pour le style des intérieurs de Vermeer, mais pour des sujets religieux, en s'inspirant d'une œuvre de jeunesse du peintre.

Femme lisant de la musique, à la manière de Vermeer, 1935-1936

MUSÉE BOYMANS-VAN BEUNINGEN, ROTTERDAM

Hans van Meegeren : *Les Pèlerins d'Emmaüs*, 1936-1937

Le tableau reproduit ci-dessus, *les Pèlerins d'Emmaüs*, est le meilleur « Vermeer » de van Meegeren. Quoiqu'on en pense sur le plan de l'art (et bien des gens le trouvent beau), il constitue certainement un tour de force technique. Van Meegeren a passé quatre ans à mettre au point des procédés donnant à une peinture moderne l'apparence de l'ancien. La principale difficulté consistait à faire durcir assez vite la peinture à l'huile — ce qui demande normalement cinquante ans : il le résolut en mélangeant à ses couleurs une résine synthétique au lieu d'huile, et en cuisant la toile.

Il put alors se lancer. Il prit un authentique tableau du XVIIe siècle dont il retira presque toute la peinture à la pierre ponce et à l'eau, en ayant soin de ne pas boucher le réseau des craquelures qui, on le verra, avait un rôle important à jouer. Mais il ne put effacer une tache de peinture blanche et il dut construire sa composition autour d'elle. A peu près tout ce qui avait été blanc sur la toile primitive resta blanc — ce fut la nappe; seule une petite zone blanche à gauche du pichet était difficilement utilisable : il la repeignit. Des années plus tard, les rayons X *(page de droite)* allaient révéler une tête fantomatique au-dessus de la main du Christ.

On jugera de la réussite de van Meegeren par cette déclaration d'un expert hollandais : « Nous avons ici un chef-d'œuvre, j'inclinerais à dire le chef-d'œuvre de Vermeer de Delft ». De fait, presque aucune voix discordante ne se fit entendre jusqu'à ce qu'en 1945 van Meegeren fût accusé de collaboration avec les nazis pour leur avoir vendu des trésors nationaux. Sa confession incroyable déclencha une enquête de deux ans; au cours de celle-ci, une analyse scientifique complète des nouveaux « Vermeer » fut menée sous la direction du Dr P.B. Coremans, directeur du Laboratoire central des Musées belges; c'est à cette enquête que l'on doit les documents et les conclusions présentées dans les pages suivantes.

LA BRERA, MILAN

Le Caravage : *Les Pèlerins d'Emmaüs*, 1606

Hans van Meegeren : Dessin des *Pèlerins d'Emmaüs*

Van Meegeren s'inspira probablement des *Pèlerins d'Emmaüs* du Caravage *(ci-dessus)*. C'était habile : des critiques avaient toujours soupçonné que Vermeer avait subi l'influence de l'Italie, et le « tableau perdu » devait le leur confirmer.
Leur conviction fut si forte qu'ils refusèrent par la suite d'ajouter foi aux aveux de van Meegeren. Pour prouver qu'il en était bien l'auteur, il fit le croquis ci-contre en indiquant une tête *(entourée d'un cercle)* qu'il n'avait pas réussi à effacer sur la toile ancienne. Une radiographie fit ressurgir cette tête, il est vrai à gauche et non pas à droite du pichet.
Le dessin de van Meegeren confirmait pour l'essentiel la véracité de ses dires : c'était bien lui qui avait peint les « Vermeer ».

Les Pèlerins d'Emmaüs, radiographie d'un détail

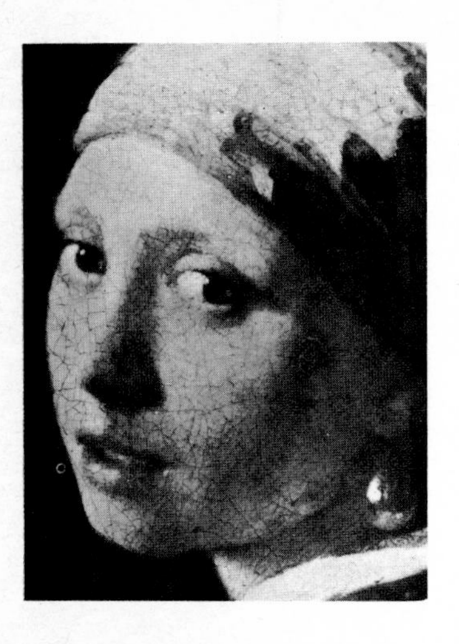

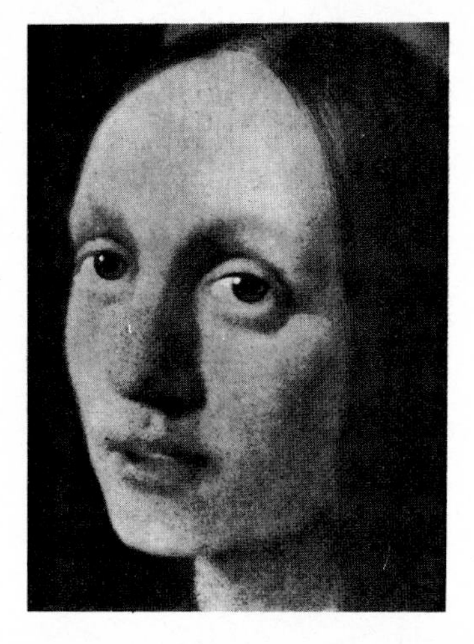

Au cours de l'enquête, van Meegeren révéla qu'ayant mystifié les milieux artistiques avec *les Pèlerins d'Emmaüs*, il s'était senti encouragé à persévérer dans la fraude. Il peignit une tête de Christ qu'il vendit grâce à un intermédiaire, puis il « retrouva » *la Cène (ci-dessous)*. La tête de Christ passa pour une étude pour la *Cène* et l'acquéreur s'empressa d'acheter le tableau achevé.

La plus grande difficulté qu'il rencontra dans cette période tenait au secret auquel il s'astreignait. Il ne pouvait utiliser de modèles payés, de crainte qu'ils ne parlent. Pour le tableau ci-dessous, il dut

faire largement appel à son imagination et l'on a peine à croire qu'il se soit risqué à une composition aussi complexe où figurent 13 personnages dans des poses variées; il fit un emprunt direct à Vermeer, en transposant la *Jeune fille au turban* en saint Jean, ainsi que le montrent les deux photographies ci-contre; il poussa l'audace jusqu'à copier sur l'une de ses propres œuvres la tête spectrale du disciple assis entre les deux personnages debout, à gauche du tableau.

Fait surprenant, cette toile, si manifestement inférieure à la première, ne fut pas accueillie avec moins d'empressement. Mais le succès avait rendu van Meegeren imprudent, à moins que ce ne fût son mépris des « experts » qu'il pouvait si aisément bafouer. Il ne s'était même pas soucié de décaper la scène de chasse du XVIIe siècle sur la toile sur laquelle il avait repeint sa *Cène*. Par une négligence inexplicable, on ne fit pas les radiographies qui auraient détecté instantanément la supercherie. C'est seulement au cours de l'instruction du procès qu'une radiographie *(ci-dessous)* permit de détecter la peinture antérieure. Un marchand de tableaux produisit par la suite une photographie de la toile primitive *(en bas, à droite)*, qu'il se rappelait avoir vendue à van Meegeren.

Hans van Meegeren : *La Cène*, 1940-1941

La Cène, détail de la radiographie

Abraham Hondius : *Scène de chasse*

Van Meegeren préparant ses couleurs

L'ironie du sort voulut que van Meegeren, quand il fut enfin pris, eût été accusé d'abord non pas de faux, mais d'intelligence avec l'ennemi. La vente de son cinquième « Vermeer » au maréchal Gœring par l'intermédiaire d'un marchand de tableaux lui fut fatale. Cette toile — *la Femme adultère* — est reproduite sur la page de droite, telle qu'on put la voir, désencadrée, au procès van Meegeren. C'était de tous ses faux le plus grossier : c'est aussi celui qui se vendit le plus cher — la transaction conclue avec Gœring comportait notamment la restitution à la Hollande de 200 œuvres d'art hollandaises précédemment pillées par les nazis.

Pour se disculper de l'accusation d'intelligence avec l'ennemi et se parer d'une gloire qui lui était depuis trop longtemps refusée, van Meegeren avoua être l'auteur non seulement de *la Femme adultère*, mais de tous les autres « Vermeer »

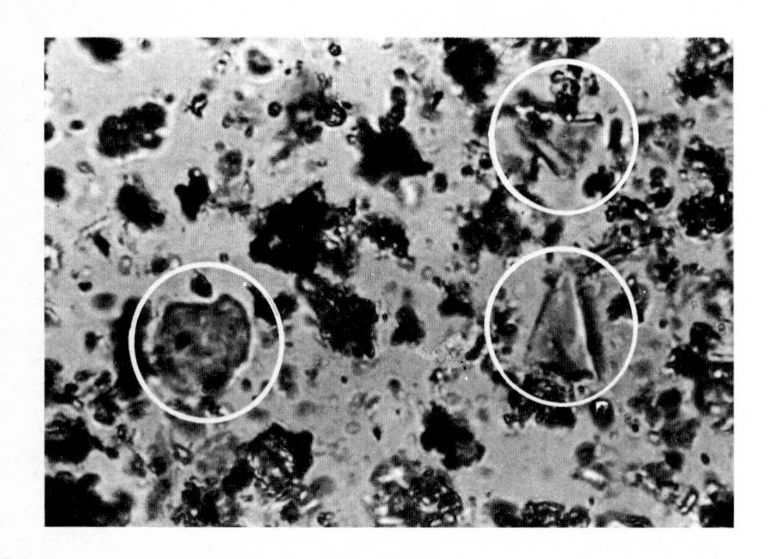

Signe révélateur, des cristaux en forme de diamants, caractéristiques du bleu de cobalt, apparurent à l'examen microscopique de deux des faux tableaux. Or, le bleu de cobalt a été découvert au XIXe siècle et était évidemment inconnu de Vermeer. Van Meegeren avait acheté une fois par inadvertance ce qu'il croyait être du bleu outremer pur, fait de poudre de lapis-lazuli et identique au bleu de Vermeer : ce n'était qu'un produit chimique.
L'examen des faux fit apparaître sur ceux-ci cinq couches de peinture superposées; un tableau ancien authentique n'en compte en général que trois — le vernis, la peinture et le fond, ou enduit, appliqué directement sur la toile. Ci-dessus, un agrandissement d'une portion écaillée de *la Cène* (*pages 180-181*) montre la première des deux couches ajoutées par van Meegeren aux trois couches primitives du tableau du XVIIe siècle qu'il a utilisé. Ainsi les craquelures caractéristiques de la plus ancienne peinture réapparaissent-elles en surface.

et des deux « de Hooch » « découverts » pendant la guerre. Les milieux artistiques restèrent incrédules, et une commission internationale fut constituée pour déterminer si les tableaux contestés étaient authentiques ou non. On retrouvera ci-dessous quelques-unes des preuves assemblées : leur histoire est aussi curieuse que celle du faussaire lui-même.

Après six semaines de détention, van Meegeren fut transféré dans une villa louée par le gouvernement où il entreprit, à la demande des autorités, de peindre son dernier « Vermeer », *Jésus devant les docteurs*. On le voit, à gauche, qui prépare pour cette vaste composition ses couleurs à la manière des artistes du XVIIe siècle, en les broyant en une poudre fine. Derrière lui, figure l'une de se propres œuvres, le portrait d'un médecin qu'il avait peint seulement deux ans auparavant.

Dans le prétoire, un spectateur examine *la Femme adultère*

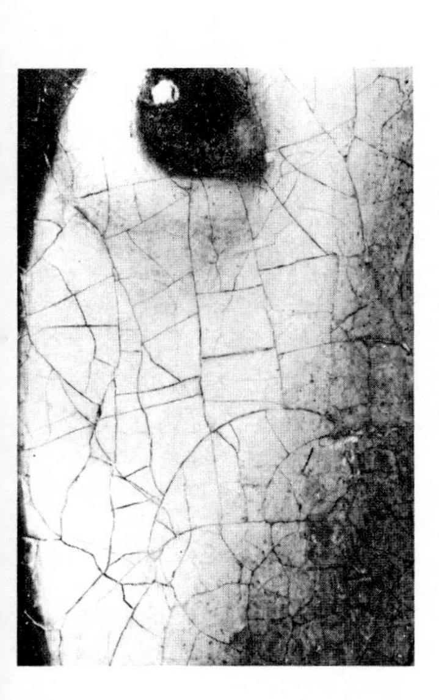

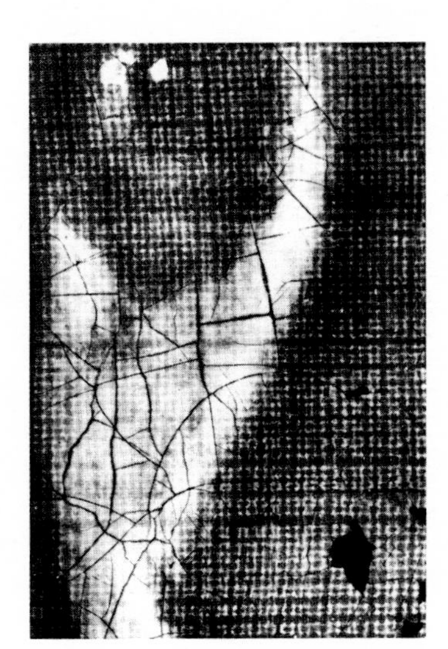

Deux gros plans, le second radiographique, montrent le réseau des craquelures sur un Vermeer authentique, la *Jeune fille au turban* : les mêmes craquelures apparaissent à la fois en surface et en profondeur. Quand les van Meegeren furent soumis au même examen, on vit que les craquelures s'y présentaient différemment *(photographie de droite)*. Seules celles qui provenaient de la peinture ancienne pouvaient être détectées aux deux niveaux; van Meegeren avait produit les autres en roulant le tableau, une fois peint, autour d'un tube de métal.

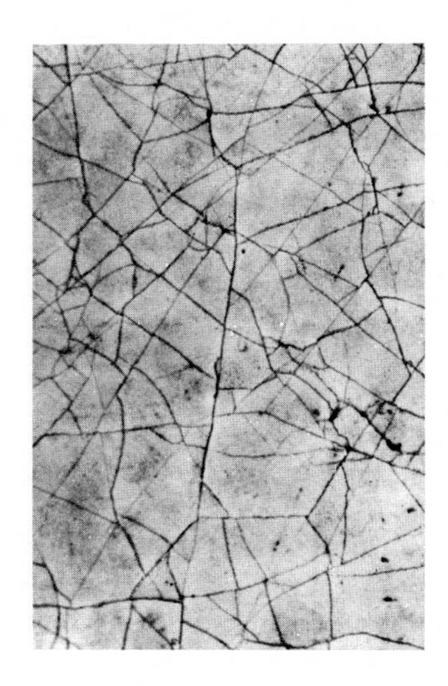

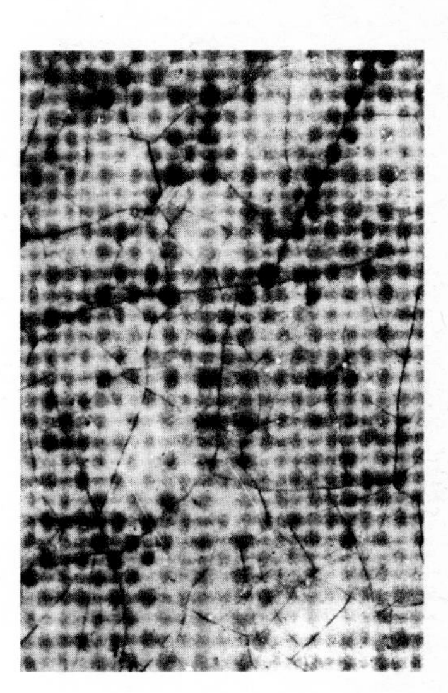

Les craquelures faites par van Meegeren sur *les Pèlerins d'Emmaüs* paraissent véridiques, mais la radiographie montre qu'elles ne pénètrent pas sous la surface. Celles de la peinture initiale au contraire sont transmises à la surface fraîchement peinte. Pour leur donner une apparence d'authenticité plus convaincante et afin que la poussière des siècles ait l'air de s'y être déposée, van Meegeren les teinta soigneusement d'encre noire. Dans plusieurs de ses tableaux, l'encre s'est infiltrée et a coulé sous la peinture.

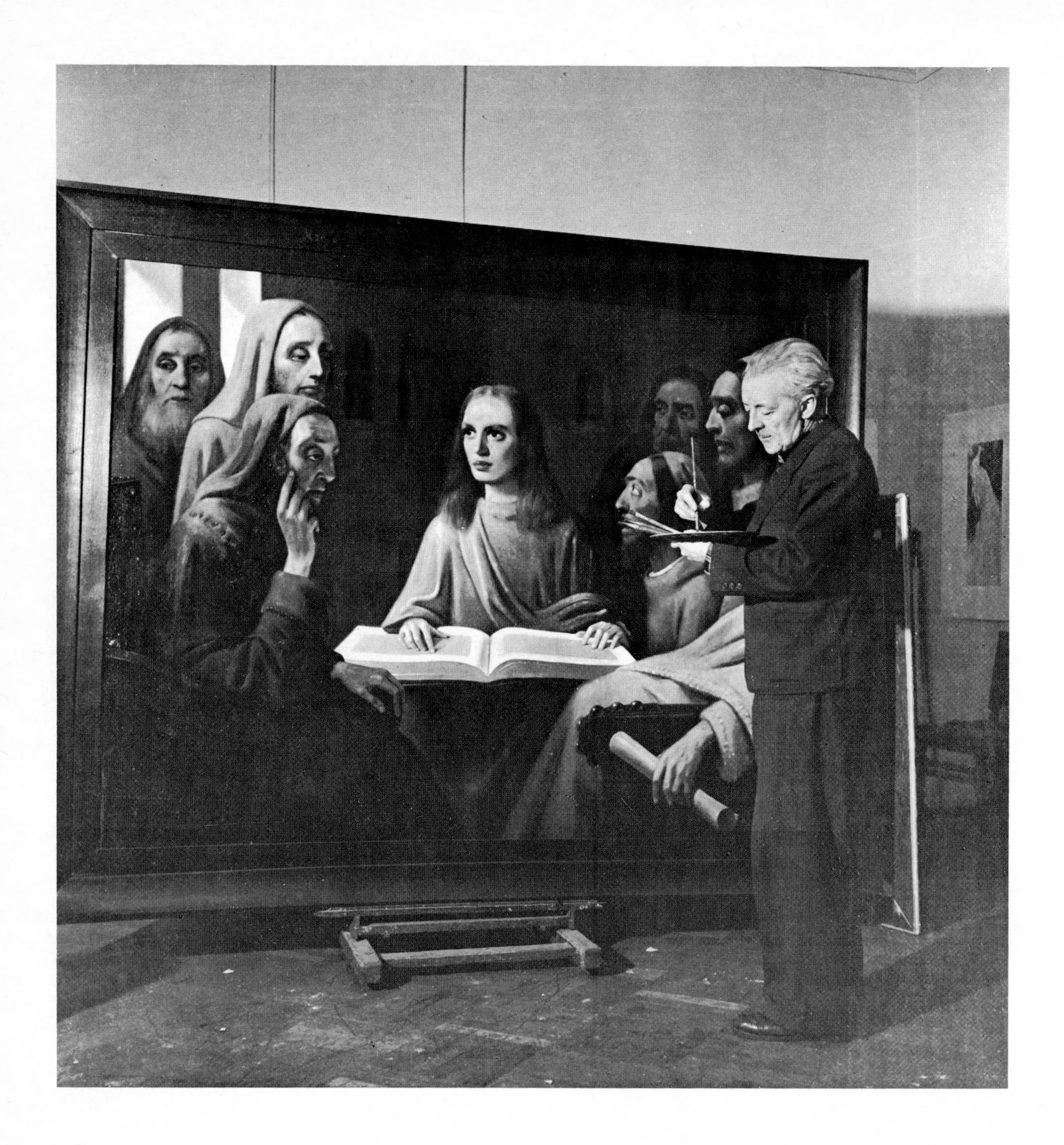

Comment une pareille surpercherie a-t-elle été possible ? C'est la question qu'on n'a cessé de se poser dans les milieux artistiques avant et depuis le procès de van Meegeren *(à droite)*. Admettons que le premier faux ait été une réussite et qu'il ait même passé pour une bonne peinture; mais ce n'était pas le cas des autres. Sans doute les a-t-on tenus pour authentiques parce qu'ils ont fait leur apparition au bon moment — pendant la guerre, alors que les vrais Vermeer étaient sous clef, que les gens riches préféraient des biens tangibles comme des tableaux à de l'argent liquide et que les Pays-Bas occupés luttaient pour empêcher leur patrimoine artistique de tomber aux mains des nazis. Le secret entourant chaque « découverte » fut tel que personne ne soupçonna avant la fin de la guerre le nombre des « Vermeer » retrouvés — six au total. Si ce nombre avait été connu, les soupçons se seraient certainement éveillés plus tôt. Quant à van Meegeren, il s'était obstiné dans son désir de revanche après une carrière manquée. A l'approche du dénouement, tandis qu'il peignait une toile dans le style de Vermeer à la demande des autorités, il croyait encore qu'il serait acclamé comme un émule du grand maître. Mais il fut convaincu de faux, condamné à un an de prison et mourut avant d'être réincarcéré. A défaut de la gloire dont il rêvait, il avait attaché à son nom la plus lamentable notoriété.

Artistes de l'époque de Vermeer

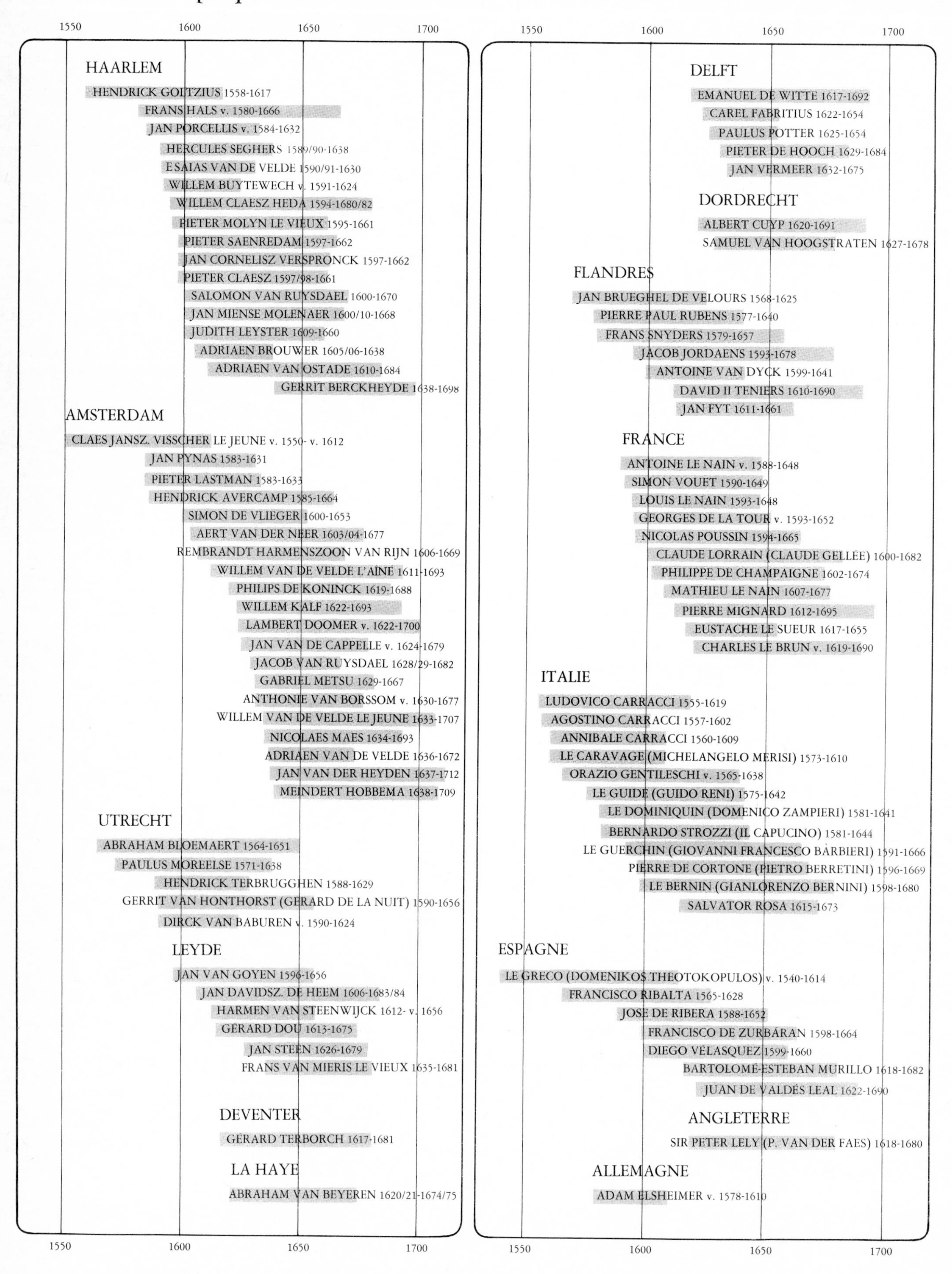

Prédécesseurs, contemporains et successeurs de Vermeer sont groupés ci-dessus chronologiquement et par nationalité. Les bandes en grisé correspondent à la durée de vie des artistes.

Bibliographie

RÉFÉRENCES CULTURELLES ET ARTISTIQUES

Bellanger, Marie, *la Hollande*. Garnier Frères, Paris, 1913.
Chaffiol-Debillemont, *Au pays des eaux mortes*. Librairie des Belles Lettres, Paris, 1919.
Eudel, Paul, *la Hollande et les Hollandais*. H. Soudier, Paris, 1906.
Fouchier, L., *Au pays hollandais*. Hachette, Paris, 1913.
Lefèvre Pontalis, A., *Histoire de la Hollande avant le XVIIIe siècle*. Larousse, Paris, 1900.
Verenet, Georges, *Pierre Legrand en Hollande,* 1697-1717. J.-G. Broese, Utrecht, 1865.

ART — RÉFÉRENCES HISTORIQUES

Baschet, Roger, *Sur l'évolution de la grande peinture étrangère*. S.N.E.P., Paris, 1952.
Bersier, J.-E., *l'Influence de l'Italie dans la peinture hollandaise*. Presses continentales, Paris, 1951.
Bouchot-Saupique, Jacqueline, *la Peinture flamande au XVIIe siècle au Musée du Louvre*. Ed. du Cercle d'Art, Bruxelles, 1947.
Descargues, Pierre *le Siècle d'or de la peinture hollandaise au XVIIe siècle*. Ed. Clairefontaine, Lausanne, 1956.
Fierens, Paul, *la Peinture flamande de Bruegel au XVIIIe siècle*. Ed. d'Art et d'Histoire, Paris, 1942.
Genaille, Robert, *la Peinture hollandaise*. Tisné, Paris.
Genaille, Robert, *la Peinture en Belgique de Rubens aux surréalistes*. Tisné, Paris.
Judson J. Richard, *Gerrit van Honthorst*. Martinus Nijhoff, La Haye, 1959.
Lassaigne, Jacques et Robert Delevoy, *la Peinture flamande*. A. Skira, Genève, 1958.
Leymarie, Jean, *la Peinture hollandaise*. Skira, Genève, 1956.
Michel, Édouard, *les Grands maîtres flamands au XVIe et XVIIe siècle*. Nathan, Paris, 1951.
Slatkes, Leonard, J., *Dick van Baburen*. Haentjens, Dekker et Gumbert, Utrecht, 1965.
Sterling, Charles, *la Peinture flamande, Rubens et son temps*. A. Calavas, Paris, 1937.
Swillens, P.T.A., *Introduction à l'exposition Pieter Saenredam*. Musée central, Utrecht, 1966.
Thiéry, Yvonne, *le Paysage flamand au XVIIe siècle*. Imp. Liberator Bruxelles, 1953.

VERMEER ET LES PEINTRES DE SON ÉPOQUE

Bazin, Germain, *les Grands maîtres hollandais*. Nathan, Paris, 1950.
Crowe, J.A., *les Anciens peintres flamands*. Traduit de l'anglais par O. Delepierre. F. Heussner, Bruxelles, 1862.
De Vries, *Dans la lumière de Vermeer*. La Haye, juin-septembre 1966.
Fromentin, Eugène, *les Maîtres d'autrefois*. Imp. de H. Wellens et W. Godenne, Bruxelles, 1948.
Huttinger, Édouard, *la Peinture hollandaise au XVIIe siècle*. Ed. Clairefontaine, Lausanne, 1956.
Malraux, André, *Vermeer de Delft*. Gallimard, Galerie de la Pléiade, Paris, 1953. 132 pages, 35 illustrations en couleurs.
Malraux, André, *Psychologie de l'Art*. 3 volumes, Skira, Genève, 1947-1950 (réédité par la suite en un volume chez Gallimard).
Swillens, P.T.A., *Johannes Vermeer*. Spectrum Publishers, Utrecht, 1950.
Van Schnendel, A.F.E., *Face à face avec les maîtres hollandais*. Ed. de la Connaissance, Bruxelles, 1948.
Van Schnendel. A.F.E., *la Peinture hollandaise de Jérôme Bosch à Rembrandt*. Ed. de la Connaissance, Bruxelles, 1948.
Vermeer de Delft, N.R.F., Imprimerie Draeger, Paris, 1952.

LES FAUX DE VAN MEEGEREN

Coremans, Dr. P.B., *Van Meegeren's Faked Vermeers and De Hooghs,* traduction anglaise de A. Hardy et C.M. Hutt, Cassell & Co., Ltd. London, 1949.
Godley, John, *The Master Forger,* Wilfred Funk, Inc., 1950.
Moisewitsch, Maurice, *The Van Meegeren Mystery*. Arthur Baker, Ltd., 1964.

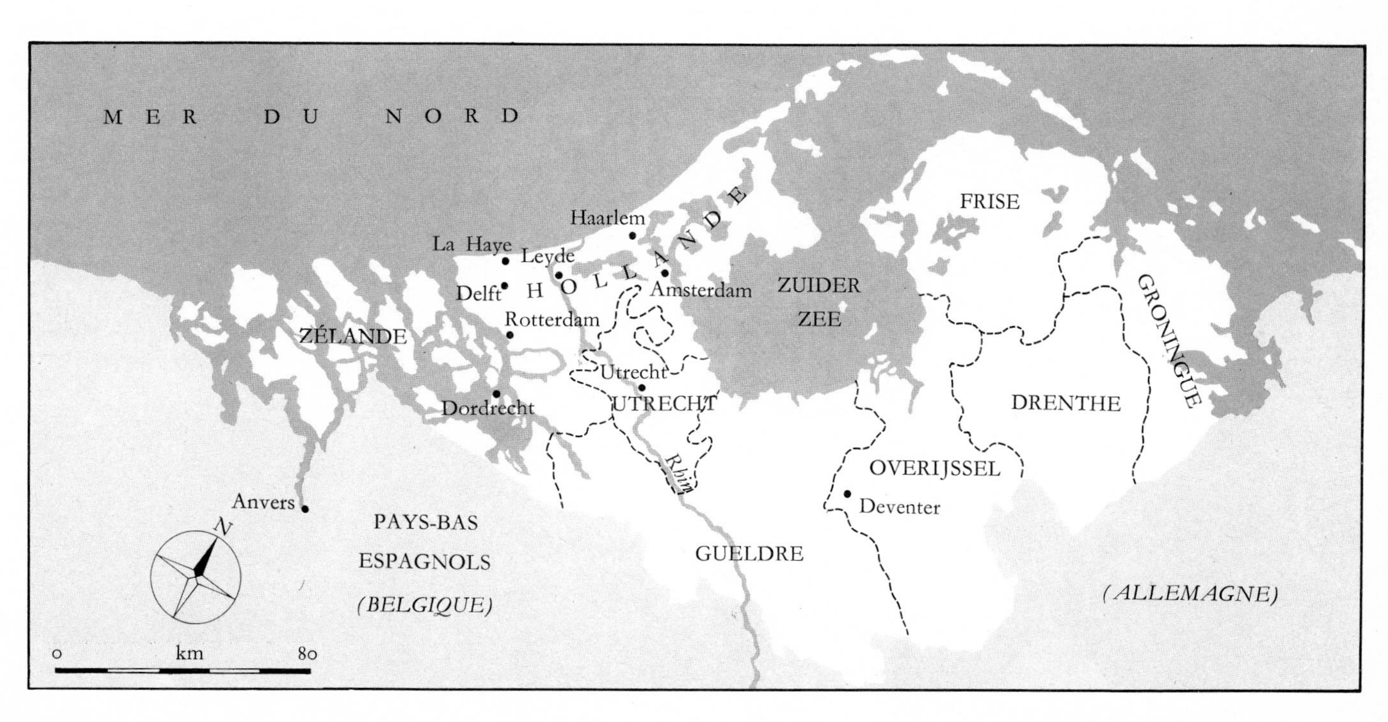

Carte des Provinces-Unies à l'époque de Vermeer

Sources des illustrations

On trouvera ci-après les souces des illustrations du présent ouvrage. Pour les illustrations disposées de gauche à droite, les renseignements sont séparés par des points-virgules ; pour les illustrations disposées de haut en bas, ils sont séparés par des tirets.

COUVERTURE :
Eric Schaal
PAGES DE GARDE :
Pages de tête : © Rijksmuseum, Amsterdam.
Pages finales : Handzeichnungen Meister aus der Sammlung Dr. C. Hofstede de Groot im Haag, B. Tauchnitz, Leipzig, 1923, planche 14, reproduite avec l'aimable autorisation de la New York Public Library.

CHAPITRE 1 : 8—Photo Metropolitan Museum of Art. 12—Reproduit de *A Short History of Science and Scientific Thought* de F. Sherwood Taylor. © 1949, Editions W.W. Norton Company, Inc., New York. 15—Reproduit avec l'aimable autorisation du British Museum, Londres. 17—Frank Lerner. 18—Paulus Leeser. 19—Herbert Orth. 20, 21—Photo Metropolitan Museum of Art. 22—Derek Bayes. 23—Harry Baskerville. 24—Yves Debraine; Frank Lerner. 25—Frank Lerner—Photo Art Institute of Chicago. 26—Eddy van der Veen. 27—Frank Lerner.

CHAPITRE 2 : 28—Hein de Bouter. 34, 35—© Rijksmuseum, Amsterdam. 41—© Rijksmuseum, Amsterdam. 42, 43—© Rijksmuseum, Amsterdam; Photo Archives municipales, Haarlem. 44, 45—© Rijksmuseum, Amsterdam. 46, 47—Reproduit avec l'aimable autorisation des Trustees du British Museum, Londres. 48, 49—Hein de Bouter. 52—© Rijksmuseum, Amsterdam. 53—Lee Boltin. 54, 55—Eric Schaal.

CHAPITRE 3 : 56—Eric Schaal. 59—Photo Koninklijke Bibliotheek. 61—Municipalité de Delft. 65—Eddy van der Veen. 66—Pierre Boulat—Eric Schaal. 67—Robert S. Crandall—Hans Hammarskiold/TIO. 68—Photo Musée Boymans van Beuningen, Rotterdam. 69—Photo Musée Boymans van Beuningen, Rotterdam—Eric Schaal. 70—Eric Schaal. 71—Eddy van der Veen.

CHAPITRE 4 : 72—Photo Metropolitan Museum of Art. 74—Eric Schaal—Musée Frans Hals, Haarlem, photo A. Dingjan. 77—John R. Freeman. 78—Photo Metropolitan Museum of Art. 80, 81—Eric Schaal. 82, 83—Eric Schaal; photo Toledo Museum of Art. 84, 85—Eric Schaal. 86, 87—Eddy van der Veen. 88—Eric Schaal. 89—Eric Schaal—© Rijksmuseum, Amsterdam. 90, 91—Hein de Bouter. 92—Photo Metropolitan Museum of Art—Photo Bayerische Staatesgemäldesammlungen, Munich. 93—Hein de Bouter.

CHAPITRE 5 : 94—Photo National Gallery, Londres. 98—© Rijksmuseum, Amsterdam. 101—© Rijksmuseum, Amsterdam. 104, 105—Photo Metropolitan Museum of Art. 106—© University of Oxford, Ashmolean Museum. 107—Photo Statens Museum for Kunst, Copenhague. 108, 109—Photo Metropolitan Museum of Art—© Teyler's Museum, Haarlem; Staatliche Museen, Berlin, photo Walter Steinkopf. 110, 111—Photo Musée Boymans van Beuningen, Rotterdam; Pierre Belzeaux (Rapho Guillumette). 112, 113—© Rijksmuseum, Amsterdam. 114, 115—Hein de Bouter. 116, 117—A gauche : photo Art Institute of Chicago—Eric Schaal. A droite : Derek Bayes. 118, 119—Eric Schaal; © Rijksmuseum, Amsterdam.

CHAPITRE 6 : 120—Eric Schaal. 122—Archives municipales de Delft. 129—Eddy van der Veen. 130—Derek Bayes. 131, 132, 133—Eric Schaal. 134—Reproduit avec la gracieuse autorisation de S.M. la Reine, © réservé. 135—Photo Stadelsches Kunstinstitut, Francfort. 136—Photo Frick Collection. 137—Frank Lerner. 138, 139—Photo Gernsheim Collection, University of Texas, Austin; Extrait des *Apiaria Universae Philosophiae Mathematicae* Bononia, 1642, Apiar VI, Progim III, p. 43, reproduit grâce à l'obligeance de Charles Seymour Jr; extrait de Kircher, *Ars Magna Lucis et Umbrae,* 1646, reproduit grâce à l'obligeance de Charles Seymour Jr.; extrait de Zahn, *Oculus Artificialis,* 1701, reproduit grâce à l'obligeance de Charles Seymour Jr.—dessins de Lowell Hess. 140—Eric Schaal. 141—Eric Schaal—National Gallery of Art, Washington, photo Henry Beville. A gauche : Yale Art Gallery, photo Emidio De Cusati, reproduite grâce à l'obligeance de Charles Seymour Jr. Au centre et à droite : National Gallery of Art, Washington, photos Henry Beville, reproduites grâce à l'obligeance de Charles Seymour Jr. 142, 143—A gauche : Photo Art Gallery par Emidio De Cusati, reproduite grâce à l'obligeance de Charles Seymour Jr. Au centre et à droite : National Gallery of Art, Washington, photos par Henry Beville, reproduites grâce à l'obligeance de Charles Seymour Jr.

CHAPITRE 7 : 144—Eddy van der Veen. 147—Photo Stadelsches Kunstinstitut, Francfort—(2) D'après P.T.A. Swillens, *Johannes Vermeer,* Editions Het Spectrum, Utrecht, 1950, planche 53b. 150—Extrait d'André Blum, *Vermeer et Thoré-Bürger,* Editions du Mont-Blanc, Genève, 1946. 153—Photo National Gallery of Art, Washington. 154, 155—Lee Boltin; Photo National Gallery of Art, Washington. 156—Isabella Stewart Gardner Museum, photo Henry Beville. 157—Photo Frick Collection—photo National Gallery, Londres. 158 à 161—Eric Schaal. 162, 163—Frank Lerner.

CHAPITRE 8 : 164 à 167—Erich Lessing (Magnum). 168—Tom Scott. 175—George Rodger (Magnum). 176, 177—© A.C.L., Bruxelles. 178—Anefo D. Raucamp (Pix Inc.). 179—En haut : Alinari. En bas : © A.C.L., Bruxelles. 180, 181—© A.C.L., Bruxelles, sauf en bas à droite © A.C.L. Bruxelles, reproduit grâce à l'obligeance de Douwes Brothers. 182, 183—En haut : George Rodger (Magnum); Yale Joel. En bas : © A.C.L., Bruxelles. 184—George Rodger (Magnum). 185—Yale Joel. 186—Tableau dessiné par George V. Kelvin. 187—Carte dessinée par Rafael D. Palacios.

Remerciements

Les rédacteurs du présent ouvrage tiennent à exprimer leur vive gratitude aux personnes et aux institutions suivantes : Robert G. Barclay, second vice-président, Chase Manhattan Bank; Sir Alfred Bleit, Blessington, Irlande; Mrs. Thomas N. Bently, chargée des archives, Toledo Museum of Art; P. de Boer, Amsterdam; Anselmo Carini, publications, Art Institute of Chicago; Mrs. Ruth Dundas, chef du Service des publications, and Michael Mahoney, conservateur du musée, National Gallery of Art, Washington, D.C.; Ellen Franklin, assistante de publicité, et Claus Virch, adjoint au conservateur des peintures, The Metropolitan Museum of Art, New York; Mr. Th. Hoog, Haarlem, Pays-Bas; B. de Geus van den Heuvel, Loenen aan de Vecht, Pays-Bas; Mrs. Hans Hofmann, New York; Marian Willard Johnson et Lucy Mitton, Willard Gallery, New York; Samuel M. Kootz, New York; Mme J. van Meegeren-Oerlemans, Laren, Pays-Bas; Menzo de Munck, Zwolle, Pays-Bas; Claes A. Philip, Stockholm; W. Reineke, Amersfoort, Pays-Bas; Dr. et Mrs. Allan Roos, San Francisco; Raymond de Roover, professeur d'Histoire, Brooklyn College, New York; René Sneyers, directeur, Laboratoires centraux des Musées belges; Wolfgang Stechow, étudiant en art, Collège Oberlin, Oberlin, Ohio; Diggory Venn, Museum of Fine Arts, Boston; J. Howard Whittemore, Naugatuck, Connecticut; Mr. et Mrs. Charles B. Wrightsman, New York.

Index

Sauf indication contraire, toutes les œuvres d'art citées sont de Vermeer. Les dimensions sont en centimètres ; la hauteur précède la largeur.

Printed in Spain by Printer industria gráfica sa Provenza, 388, 5.a Barcelona-25 Depósito legal B. 22337-1978